INTERNATIONAL EDUCATION

Purchased through a Grant from

D1319926

LA SEGUNDA EPOCA DE
JUAN RAMON JIMENEZ (1916-1953)

P-21
p
F.C.

BIBLIOTECA ROMANICA HISPANICA

Dirigida por DAMASO ALONSO

VII. CAMPO ABIERTO

Antonio.

A. SANCHEZ-BARBUDO

LA SEGUNDA EPOCA DE
JUAN RAMON JIMENEZ

(1916-1953)

EDITORIAL GREDOS

N.º Registro: 1344-62. — Depósito legal: M. 3780-1962

Gráficas Cóndor, S. A.—Aviador Lindbergh, 5.—Madrid   1576-62

Agradezco a la J. S. Guggenheim Memorial Foundation, y a la University of Wisconsin, la generosa ayuda que me han prestado, la cual me permitió llevar a cabo esta obra.

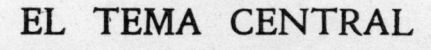

EL TEMA CENTRAL

INTRODUCCION

Este libro es un estudio de la poesía de Juan Ramón Jiménez a partir del *Diario de un poeta recién casado*. Hay una indudable unidad de carácter y tono, de estilo, en la mayoría de los poemas de esa larga segunda época (1916-1953). Pero hay también, aunque ello sea menos obvio, una cierta unidad de tema. Hay asuntos que se repiten a menudo; es decir, una serie de vivencias análogas, pues al hablar de "asunto" me refiero aquí sobre todo a la visión y emoción que origina el poema, y que el poema nos transmite. Esos asuntos —belleza junto a la nada; el mar, siempre cambiante y el mismo, insensible; la Obra, más allá de la muerte; el pájaro, criatura afortunada, cantando; el alma, que en un momento de ilusión parece escapar de sí e identificarse con lo bello contemplado, etc.—, esas impresiones y sentimientos que constantemente reaparecen, tienen entre sí estrecha relación, son como partes de un mismo *tema*. Y es que muchos poemas parecidos o distintos de un mismo libro, y también de diferentes libros suyos, responden a un mismo anhelo: ansia de eternidad, salvación de la muerte. Es un "anhelo creciente de totalidad", como en 1932 el propio Juan Ramón dijo; ansia que culmina en el éxtasis de *Animal de fondo* (1949).

11

Su heroico esfuerzo continuo por alcanzar eternidad con solo su entusiasmo ante lo bello —una aspiración a eternidad que se advierte en los poemas, en que capta los diversos instantes de lucha, de esperanza o gracia— es lo que da unidad de tema a su obra poética de ese período. Precisar en qué consiste dicho tema, dicho esfuerzo, apoyándonos repetidamente en sus propios versos; seguirle paso a paso en su inquietud, en su búsqueda y hallazgos, es lo que me propongo hacer primero, seguro de que así podrán entenderse mejor muchas de sus poesías.

Ya sé que eso de "entender" resultará a algunos sospechoso. ¿Qué es entender un poema?, se dirá. ¿Acaso se "entiende" la poesía? A esta pregunta cada uno responde a su modo. Hay quien, tímido, cree que ante la poesía sólo es posible guardar un respetuoso silencio. Hay quien, audaz, cree que es posible explicarlo todo. Hay, entre los más ingenuos, quienes quieren "entender" sin apreciar; y hay también ciertos estetas que tratan de "apreciar" sin haber entendido nada o casi nada de lo esencial.

Yo, por mi parte, he tratado de entender primero, hasta donde me ha sido posible, para poder luego apreciar. Ello parece lo natural, aunque sólo, claro es, en el caso de que haya algo que entender. Hay poetas en los que todo o casi todo es ramas, más o menos hermosas. Lo que en ellos importa es lo de fuera, la palabra; lo de dentro, si lo hay, es sólo un pretexto, y de poco sirve captarlo, aunque se pueda. Pero Juan Ramón no es de ésos. En él siempre hay un fondo, un dentro, que naturalmente depende de la palabra, pero que está ahí, en el poema, visible o escondido. El retoque podrá haber oscurecido, avivado o modificado a impresión original, pero ésta se encuentra siempre, o asi siempre, leyendo con atención su poema. Sobre odo si estamos sobre aviso; si conocemos la línea de u pensamiento, o, más bien, de su sentimiento.

Entender un poema no es secar éste reduciéndolo a ensamiento, sino recibir su "mensaje". Sabido es que in pensamiento se transmite por medio de conceptos, ero el mensaje no. Un mensaje poético, una emoción, ólo puede transmitirse por medios poéticos. Sólo el oema mismo, pues, revela su verdadero contenido; ólo la forma poética revela la emoción del fondo, y le ese modo intenso y bello que es peculiar de la poeía. Al explicar un poema por medio de conceptos, ólo podremos nosotros, a lo más, aludir torpemente a u esencia. Sería por tanto absurdo querer sustituir uestro "resumen" de un poema —una idea— por la mpresión viva que la lectura de éste debe producir. ero lo que sí es posible, y deseable creo yo, en el caso e poemas como los de Juan Ramón de esta segunda poca —no oscuros, en general, pero a menudo "difíiles"—, poemas que no revelan a todos, ni mucho meos, su contenido a la primera ni a la segunda lectura, s poner al lector en la pista, advertirle, explicar de qué e trata, para que así los poemas pierdan parte de su pacidad y, al leerlos, puedan destilar su esencia. Y sto, poner en la pista, ayudar a entender, es mi proósito al hacer el análisis del tema central a que antes ne he referido.

Entender es ya empezar a gustar. Pero después de aber entendido hay que volver siempre de nuevo al oema y apreciar cada una de sus partes, y el conjuno. Una valoración estética siempre habrá de ser peronal, sin garantía de objetividad absoluta. Mas si se basa en una observación cuidadosa de los hechos, e comparaciones adecuadas, puede ser estimulante.

En la primera parte de esta obra, dedicada al estu dio del *tema central,* en la que se trata sobre todo d entender, se incluyen sin embargo diversos juicios apreciaciones, ya que no es posible una rigurosa sepa ración entre "entender" y "apreciar". En la segund parte, en otro volumen, se comentarán cincuenta poe mas, atendiendo especialmente a los *valores estético*

EL TEMA CENTRAL

No es extraordinario que un poeta, y aun quien no lo es, contemplando un paisaje o un objeto bello cualquiera sienta una cierta melancolía, un cierto temblor: es el sentimiento de lo pasajero de la vida propia. Asombra la indiferencia de lo que se contempla en contraste con la inquietud del contemplador. Se comprende que, entonces, en ocasiones, surja el vivo deseo de identificarse con lo bello contemplado, mar o nube, monte o rama; el deseo de ser como ello, libre y sin cuidado. Es un deseo irracional, voluntad de escape: ser con el objeto, con la belleza; ser parte de ella sin dejar de ser uno el que es; ser eterno y consciente a la vez.

Esto, o cosa parecida, quizás lo han sentido muchos alguna vez. Pero en Juan Ramón ese anhelo es obsesión continua durante muchísimos años, sobre todo desde 1916; obsesión expresada en su poesía muchas veces de un modo intenso, bello y luminoso. Y éste es el aspecto más importante del *tema central*: el ansia de eternidad; el deseo de una plenitud que, a veces, por instantes, parece conseguir.

El tema aparece de un modo insistente en los poemas sobre el mar del *Diario,* escritos en 1916. El mar asombra al poeta. Está ahí, ciego, indiferente, cambiante y siempre el mismo. Y el poeta se pregunta, le pregunta; le admira y, al mismo tiempo, compadece su soledad e inconsciencia. Quiere sentirlo, llegar a su alma, y lo observa siempre; pero a la vez quisiera ser sentido y observado por él, que el mar *le viviera*, le deseara, como él lo desea: no estar irremisiblemente separado. Ser como el mar para así librarse de su pequeñez y finitud, de la muerte:

¡Sólo un punto!

Sí, mar, ¡quién fuera,
cual tú, diverso cada instante,
coronado de cielos en su olvido;
mar fuerte —¡sin caídas!—,
mar sereno
—de frío corazón con alma eterna—,
¡mar, obstinada imagen del presente! [1].

Con este libro se abre toda una nueva época. Es decía el propio Juan Ramón en 1953, un libro "metafísico" [2].

En *Piedra y cielo* (1917-1918), ya encerrado en su casa, feliz con su poesía —su nueva poesía— y con Zenobia, siente el deseo de trascender y entrar en lo bello, como lo bello entra en él:

Eternidad, belleza
sola, ¡si yo pudiese,

---

[1] *Diario de un poeta recién casado (1916)*, ed. Calleja, Madrid 1917, tercera ed., poema XL, pág. 55.
[2] "Hay en él muchas cosas que nunca se han visto. Es un libro metafísico... Lo creo mi mejor libro" (véase RICARDO GULLÓN, *Conversaciones con Juan Ramón Jiménez*, ed. Taurus, Madrid, 1958 págs. 91-92).

16

en tu corazón único, cantarte,
igual que tú me cantas en el mío,
las tardes claras de alegría en paz! [3].

Obra, muerte, huida del alma hacia lo bello son los
asuntos principales de *Poesía* y de *Belleza* (1917-1923).
En *La estación total* (1923-1936), y en poemas siguientes, habla sobre todo del escape, de los momentos
luminosos de alegría al lograr la identificación con el
paisaje y sentir la eternidad del instante; o bien de
los momentos de sequedad, de búsqueda o nostalgia de
esa unión milagrosa y pasajera, de ese entusiasmo. Es
este libro, en su escala mística, la etapa iluminativa. Y
así llega, al fin, al éxtasis de *Animal de fondo* (1949).

Este último libro fue escrito sin duda de un tirón,
a raíz de la extraordinaria experiencia que tuvo en el
viaje por mar, de Buenos Aires a Nueva York, a fines
del verano de 1948. Es en rigor un solo poema en el
que se habla sólo de un estado de gracia, de luz —"estación total toda en un punto"—, en el cual él se recrea. Se refiere siempre a una paz conseguida, a una
"transparencia" lograda en la que lo de dentro y lo de
fuera, su alma y el mundo, "el dios deseado y deseante", al fin se unen. Lo que siempre había perseguido, al
fin lo encuentra.

Más claro resultará todo esto cuando lleguemos a
ese libro —cuyos poemas estudiaremos uno a uno—
después de un largo recorrido. *Animal de fondo* es
como un puerto de llegada desde el cual se iluminan las
rutas que a él conducen. El sentido de muchos poemas
anteriores se percibe mejor sabiendo hacia donde éstos

---

[3] *Piedra y cielo*, ed. Losada, Buenos Aires, 1948, XLVIII, página 142.

17

apuntaban, conocida la meta. Y a la inversa, recorriendo paso a paso el camino, entendiendo bien los poemas que llevan a su último libro importante, se da uno mucho mejor cuenta luego de todo el significado y belleza de esa obra "místico panteísta", como él dice en la *Nota* en prosa que sigue al libro. Libro extraordinario, único, por la índole especial de su misticismo y de su panteísmo. Libro "difícil", con muchos versos de apariencia hermética cuyo sentido nos proponemos aclarar.

Sirva cuanto hemos dicho como una guía del camino a seguir. Empezaremos pronto con el *Diario*. Pero antes hemos de ocuparnos de los esbozos del *tema* que se hallan en sus obras anteriores (1898-1915), pues así como en lo que se refiere a la desnudez del estilo hay antecedentes en esa obra que precede al *Diario*, los hay también en cuanto al *tema* que será luego dominante. Estos antecedentes, sin embargo, como vamos a ver, son pocos, no siempre claros, y no aparecen en verdad —con una sola excepción— antes de 1908.

ESBOZOS DEL TEMA CON
ANTERIORIDAD AL "DIARIO"

Tenía Juan Ramón dieciocho años cuando llegó a Madrid, en abril de 1900, con el manuscrito de *Nubes*. De ahí salieron luego *Ninfeas* y *Almas de violeta,* que se publicaron en el mes de septiembre, cuando ya el poeta había vuelto a Moguer [4].

---

[4] Gran parte de lo que se sabe de los primeros años de la vida literaria de Juan Ramón se encuentra en dos textos básicos. Uno es la nota autobiográfica "Habla el poeta", publicada en el número V

La mayoría de los poemas de *Almas de violeta* se refieren a una "muerta adorada". Hay en ellos pena, llanto por el joven amor perdido; pero lo que sobre todo destaca, persistente, es la impresión que le produjo el cadáver: "...aquella carita fría y azulada...", "En la cajita nevada / lleváronla al cementerio...", "Está sola en el sepulcro... / no voy a echar los gusanos / que le pudren las entrañas..." [5].

Y también, en el mismo libro, hay un poema sobre "El cementerio de los niños" (pág. 1528), y otro (pág. 1530) sobre un niño muerto, que empieza:

---

de la revista *Renacimiento* (julio de 1907), reproducida por ENRIQUE DÍEZ-CANEDO en su obra *Juan Ramón Jiménez* (ed. Colegio de México, México, 1944, págs. 35-39) y luego copiada muchas veces fragmentariamente. El otro es el artículo "Recuerdo al primer Villaespesa (1899-1901)", de JUAN RAMÓN, publicado en *El Sol* de Madrid (10 de mayo de 1936) y recogido en *Pájinas escojidas. Prosa,* selección de R. GULLÓN (ed. Gredos, Madrid, 1958, págs. 121-133).

GUILLERMO DÍAZ-PLAJA, en su obra *Juan Ramón Jiménez en su poesía* (ed. Aguilar, Madrid, 1958) da a conocer algunos interesantes fragmentos de cartas, de 1900 a 1902, a un amigo, Sánchez Rodríguez; reproduce además en apéndice las de Rubén Darío a Juan Ramón, de 1902 a 1905, que se encuentran en la Biblioteca del Congreso, de Wáshington, y en el texto copia varias de las de Juan Ramón a Darío, de la misma época, previamente publicadas por ALBERTO GHIRALDO en *El archivo de Rubén Darío* (ed. Losada, Buenos Aires, 1943).

[5] Véase JUAN RAMÓN JIMÉNEZ, *Primeros Libros de Poesía,* Recopilación y prólogo de Francisco Garfias, ed. Aguilar, Madrid, 1959, págs. 1525, 1527, 1537 y 1538. Todas las citas que siguen, en este capítulo, pertenecientes a libros de la primera época, hasta 1911, de *Almas de violeta* a *Melancolía,* están tomadas de esta edición, y a ella corresponde el número de la página que se indica en el texto, entre paréntesis.

El poema XV del *Diario* está dedicado "A una mujer que murió, niña, en mi infancia". Y empieza: "Veinte años tienes en la muerte...". Si se trata, como parece, de la misma persona, ello indicaría que la "muerta adorada" murió en 1896, cuando el poeta tenía 15 ó 16 años.

Campanas, ¡no cantéis!
¡que vais a despertarlo!

Pero nada de esto puede considerarse parte del
tema que buscamos, ni siquiera en esbozo, aunque quizás sea en cierto modo su raíz. Se trata sólo de una
elemental y muy común impresión ante la muerte:
horror y pasmo. Primero descubrimos que también
nosotros hemos de morir un día, y luego aparece la
muerte en concreto: el cadáver. Y claro que ésta es
una impresión básica, pues no se descubriría el sentimiento de la nada si antes no se hubiese descubierto
la muerte.

En Juan Ramón debió ser una impresión muy fuerte: de ella hay aún numerosos ecos en *Almas de violeta*. Mas no tarda en ser falseada, como suele suceder.
Ello ocurre, comúnmente, en el mismo instante de vi-
virla; pero sobre todo luego, al expresarla de viva voz,
o en poemas ingenuos como éstos, tan cercanos aún al
lugar común (pese al genio del poeta, visible ya en
ciertos rasgos).

Ante el cadáver, o la imagen del cadáver, lágrimas, suspiros y vagas esperanzas pueden expresar el
sentimiento por la desaparición de alguien querido;
mas, por otro lado, ya que el cadáver, de un ser querido o no, a menudo nos descubre o recuerda nuestra
propia muerte, esas mismas lágrimas y esperanzas sir-
ven para que no acabemos de ver, para evitar la angustia. La impresión de horror queda enturbiada por
un brote de lágrimas, por una emoción encubridora.

Y eso es lo que ocurre, creo yo, en *Almas de violeta*. El horror es seguramente más grande que la pena; mas la pena, ciertas notas sentimentales aprendi-

das, y muy vagas esperanzas, ayudan a convertir el horror en algo casi dulce, tolerable:

> ....
> En la cajita nevada
> lleváronla al cementerio;
> ....
> lloraban sus muertos ojos,
> y sus labios entreabiertos
> parecía que esperaban
> una lágrima del cielo...;
> y entre los blancos azahares,
> al compás del balanceo
> de la caja, iba la niña
> sonrïendo... sonrïendo... (págs. 1527-1528).

El "lloraban" dulcifica la impresión de los "muertos ojos", inmóviles y acerados; así como la piadosa "lágrima del cielo" suaviza la sequedad de "sus labios entreabiertos". Y la impresión de rigidez del cuerpo, materia inerte ya, movida "al compás del balanceo", se olvida con la fantasía de ese inocente "sonriendo... sonriendo".

No es esta clase de emoción, previa y oscurecedora, la que nos interesa, sino la de después: el ansia de salvación que surge tras haber visto con claridad, y precisamente por haber visto. Aún tardaría Juan Ramón bastante en llegar a ese punto. Primero tenía que descubrir el sentimiento de la nada, lo cual ocurriría sólo años más tarde. Lo que sí conoció, y mucho, a partir de ese mismo verano de 1900, fue el temor agudo a la muerte. Ese temor supone ya al menos un oscuro *presentimiento* de la nada. Es la forma inmediata, animal, en que ese sentimiento se presenta. En Juan Ramón el temor fue tan intenso que se convirtió en obsesión, en una verdadera enfermedad que le duraba aún cincuenta años más tarde [6].

La enfermedad empezó con motivo de la muerte de su padre. Escribe en la nota autobiográfica de 1907:

> la muerte de mi padre inundó mi alma de una preocupación sombría; de pronto, una noche, sentí que me ahogaba y caí al suelo; este ataque se repitió en los siguientes días; tuve un profundo temor a una muerte repentina; sólo me tranquilizaba la presencia de un médico —¡qué paradoja!—. Me llené de un misticismo inquieto y avasallador; fui a las procesiones, rompí todo un libro —"Besos de oro"— de versos profanos (?); y me llevaron al Sanatorio de Castel d'Andorte en Le Bouscat, Bordeaux. Allí, en un jardín, escribí *Rimas*, que publiqué en Madrid el año siguiente.

Y en un apunte encontrado entre los papeles del poeta, sin fecha, pero que debe datar probablemente de fines de 1900 o de 1901, escribió también:

> El libro en que trabajaré, Dios mediante, después de terminar *Ninfeas* (nueva edición) y *Recuerdos sentimentales*, será uno en que pondré toda mi alma, titulado *La Muerte*, en prosa, algo así como una autobio-

---

[6] Ricardo Gullón, que visitó frecuentemente a Juan Ramón en Puerto Rico entre 1952 y 1955, escribe: "Viví cerca de Juan Ramón durante uno de esos períodos depresivos, mientras padecía la obsesión de una muerte inminente..." ("Vivir en poesía", en *Estudios sobre Juan Ramón Jiménez*, ed. Losada, Buenos Aires, 1960, pág. 81). Y el mismo autor, en las *Conversaciones...*, escribe, anotando una conversación que tuvo con él el día 5 de junio de 1954: "No tardó en volver a su pesimismo. Se siente mal y cree que puede morir en cualquier momento. 'Tal vez esta noche', dice. No logré animarle" (*Op. cit.*, pág. 165).

grafía, llena del horrible presentimiento mío, y de los paisajes tristes que han desfilado ante mis ojos en esta fuerte enfermedad, empezando por la muerte de mi padre [7].

No sabemos si empezó siquiera *La Muerte*, pero desde luego en *Rimas*, que escribió en Francia en el verano y otoño de 1901, la preocupación por la muerte aparece mucho menos de lo que pudiera esperarse, y menos desde luego de lo que se ha dicho. Se reproducen en *Rimas* algunos de los poemas de *Almas de violeta* sobre la "muerta adorada", y también "El cementerio de los niños", pero lo que domina ya en este libro, como en todo el Juan Ramón simbolista y becqueriano de la primera época, es la melancolía dulce y musical, el colorido. Hay ya muchos jardines y suspiros al atardecer; hay tristeza y, a veces, un vago presentimiento de muerte que se mezcla al paisaje y a sueños de amor:

> Cuando le dije a la pobre
> que pronto me moriría,
> se humedecieron de llanto
> sus soñolientas pupilas (pág. 130).

---

[7] Citado por F. GARFIAS en *Primeros Libros...* (*Op. cit.*), prólogo, pág. 25. En cartas fechadas "en Burdeos" a su amigo Sánchez Rodríguez decía Juan Ramón: "...en esta casa de locos". Y también: "No te he contestado antes por causa de mis continuos males; estoy muy delicado del pecho y del cerebro y sufro continuos ataques de amnesia que me dejan extenuado". Y en una "ya de regreso en Madrid", desde el Sanatorio del Rosario, fechada en "enero de 1901" (pero que debe ser de enero de 1902, pues él no volvió a España sino a fines de 1901), decía al mismo: "...ya sabes que me llevaron casi loco a Burdeos" (Citado por G. DÍAZ-PLAJA, *Op. cit.*, pág. 34).

Algo más se refiere a la muerte, a su propia muerte, en el libro que sigue, *Arias tristes,* que escribió al volver a España. Dice en su autobiografía de 1907:

> A fines del año 1901, sentí nostalgia de España; y después de un otoño en Arcachon, me vine a Madrid, al Sanatorio del Rosario... En este ambiente de convento y jardín he pasado dos de los mejores años de mi vida. Algún amor romántico, de una sensualidad religiosa, una paz de claustro, olor a incienso y a flores, una ventana sobre el jardín, una terraza con rosales para las noches de luna... *Arias tristes* [8].

Los poemas de *Arias tristes* son seguramente mejores, más logrados que los de *Rimas,* y en algunos habla de su muerte; mas con todo no es, en verdad, un libro muy diferente del anterior. *Arias tristes* deja, otra vez, una impresión de rosas y lágrimas, lilas y acacias, sonatas, tristes avenidas, lunas, mujeres que se esfuman, sueños y llantos. La melancolía es, si cabe, mayor aún que la encerrada en el libro que escribió en Francia.

Sin duda esa melancolía era, en parte, cosa de época, de moda. Baste recordar las primeras *Soledades* de

---

[8] Hay alguna confusión en cuanto a las fechas en esta época. En el artículo sobre Villaespesa (*Loc. cit.*), dice Juan Ramón: "Pasé por Madrid en mayo de 1901, camino de Francia...", y volvió, según acabamos de ver que indica en la autobiografía de 1907, a "fines del año 1901". Esto debe ser la verdad, y corresponde a las fechas de publicación de *Rimas* (1902) y *Arias tristes* (1903). Pero a la siguiente, muy concreta pregunta que le hizo R. Gullón en diciembre de 1952: "¿Quiere usted decirme la fecha exacta de su estancia en Burdeos...?", Juan Ramón al parecer respondió, con toda precisión: "Desde mayo de 1899 hasta mayo de 1900. Justamente un año" (*Conversaciones...*, pág. 100). Esto sin duda es un error, ya que sabemos por diversos testimonios que él llegó a Madrid por vez primera en abril de 1900, como ya hemos dicho.

Antonio Machado, del mismo año y de análogas influencias. Pero es evidente también que la moda neorromántica, simbolista —jardines y pesares—, venía a coincidir con la tristeza auténtica, esencial, de ambos poetas. En Juan Ramón hay, además, como causa inmediata de tristeza, su enfermedad, su aislamiento voluntario o forzoso. En una carta a Rubén Darío de 1903, el mismo año en que apareció *Arias tristes*, escribe: "A mí me gusta hablar poco; además, yo no voy a cafés ni casi al centro de Madrid; vivo aquí aislado, y sólo viene a verme algún buen amigo...". Y en otra al mismo, poco después, alude a "mi hipocondría, mi maldita idea fija" [9].

Quizás no estuviera siempre tan solo o triste como sugiere. Sabemos por esas mismas cartas a Rubén cuán activa fue la parte que él tuvo en la creación de la revista *Helios*. Pero de todos modos, aunque mimada y tal vez exagerada, la melancolía suya debió ser por esos años muy real. Aparece en todo caso en *Arias tristes*: aromas, melodías, colores, y todo ello mezclado siempre con suspiros. Bella melancolía. Incluso cuando escribe de la muerte, de su muerte, más que el horror de la "idea fija", más que el temor o la angustia, lo que destaca en todos esos poemas —menos en uno— suavizando el dolor, poniéndolos a tono con los otros meramente melancólicos, es la nota sentimental.

[9] Véase G. Díaz-Plaja, *Op. cit.*, págs. 79 y 85. Y en otra carta de "enero", probablemente de 1904, dice aún: "Usted sabe cuánto me pesa la triste preocupación de la muerte repentina... mi enfermedad nerviosa debe haber determinado una hipertrofia del ventrículo izquierdo... No puedo andar mucho, porque viene la fatiga muscular y la disnea; así es que me paso el día en el jardín o en el cuarto de trabajo, leyendo, soñando, pensando y escribiendo..." (*Ib.*, págs. 85 y 87).

Veamos, como ejemplo, dos poemas parecidos en los que imagina su muerte y el mundo suyo sin él, el vacío que ha de dejar. Dice en el primero, que es el número IX de *Arias tristes* (págs. 219-220):

> Vendrá un carro por mi cuerpo
> —¿en dónde estará mi alma?—
> y se parará a la puerta
> del jardín. Sobre mi caja
> negra y con moscas, el sol
> de la tarde sonrosada
> ....
>
> y en el jardín las acacias
> ....
>
> esperarán que mi mano
> se alce para acariciarlas
> ....
>
> Vendrá a mi cuarto la tarde
> por la entreabierta ventana
> y acariciará mis libros
> ....
>
> y la brisa y la sonata
> del piano, todo, todo,
> preguntará por mi alma.
>
> Y si a la adorada, triste,
> ....
>
> dejan que venga a llorar
> ....
>
> una voz dulce y amiga,
> ....
>
> le dirá: Ese es el sitio
> en donde él se sentaba.

Empieza por la visión lúgubre del "carro" y la "caja negra y con moscas", y por la pregunta sin respuesta: "¿en dónde estará mi alma?". Y esto parece eco de su obsesión, de la idea fija. Pero pronto la angustia naciente se suaviza y disuelve. Lo que sigue, que es lo esencial del poema, y por cierto lo más bello y logrado, es la visión de su mundo vacío; nostálgico mundo, ya que el poeta objetiva el asombro y enternecimiento que él sólo siente ante la idea de su desaparición: las acacias "esperarán" su mano, la tarde "acariciará" sus libros, la sonata "preguntará" por él. Y las lágrimas imaginadas de la "adorada triste" son, como sus propias lágrimas, un relativo consuelo, un eficaz calmante.

Lo que domina, pues, en el poema es dulce resignación, embellecimiento de la pena, un cierto consuelo: lágrimas encubridoras. Pero como tal sentimentalismo encubridor debía también aparecer en su vida, ordinariamente, creo puede decirse que el poema es sincero, expresión de sus sentimientos, aunque no de sus sentimientos más hondos y angustiosos, escondidos.

El segundo poema, con el que se abre la sección "Nocturnos" de *Arias tristes,* es mucho más conocido, pues forma parte, aunque bastante alterado, de la *Segunda Antolojía.* En la versión que apareció en 1903 se lee:

> ....
> Mi cuerpo estará amarillo,
> y por la abierta ventana
> entrará una brisa fresca
> preguntando por mi alma.
>
> No sé si habrá quien solloce
> cerca de mi negra caja,
> ....

27

Pero habrá estrellas y flores
y suspiros y fragancias
....
Y sonará ese piano
como en esta noche plácida,
y no tendrá quien lo escuche
sollozando en la ventana (pág. 257).

La visión obsesiva del cuerpo muerto la expresa el
"amarillo" (que Juan Ramón cambia luego por "no estará allí"). Y, vagamente, se alude otra vez al alma es-
fumada, perdida ("preguntando por mi alma"); pero
como en el poema anterior, y en términos casi iguales,
el énfasis está en la evocación del mundo sin él y en
la esperanza de que alguien "solloce" (cambiado luego
por "me aguarde"). El pensar en su desaparición le en-
ternece ("sollozando" en la ventana, que luego cambia
por "pensativo"), y esas lágrimas vertidas alivian sin
duda la pena.

Al *revivir* este poema, al corregirlo, Juan Ramón
trató de eliminar en lo posible el sentimentalismo ése
un poco ñoño que tan a menudo se introduce en la
obra de su primera época. Lo cual no quiere decir que
el poema mejore mucho con las correcciones: tal vez
quede más borroso, pierda en parte su fuerza. Mas ésta
es una cuestión de la que no vamos aquí a ocuparnos.
Lo que importa es notar que en 1902 o en 1903, aun
cuando directamente escribe sobre lo que tanto le ob-
sesiona, su muerte, por lo general la angustia se disuelve en tristeza dulce. No hay en estos dos poemas lucha ni esfuerzo de salvación. No vemos ese ansia viva
de eternidad que, elevándose sobre la realidad de la
muerte —aceptada ya sin lágrimas— será la pasión dominante en él más tarde.

Pero una mirada de desconsuelo hacia lo eterno, más viva desesperación que en los dos poemas anteriores, o en otros muchos de *Arias tristes,* puede verse en el último de los "Nocturnos" (págs. 291-292):

Los gusanos de la muerte
harán su nido en mi pecho,
....

y mis ojos que miraron
tantas veces a los cielos,
se pudrirán en la tierra
....

¿Por qué, si vuelan las almas,
no vuelan también los cuerpos
....

Corazón, corazón mío
que en la sombra estás latiendo,
un día con sol y flores
quedarás parado y yerto.

Corazón, corazón mío,
....

nunca irás a tus estrellas
....

La tierra será tu gloria,
....

flotarás solo en el sueño
de mi madre, que llorando
se incorporará en su lecho;
....

Y no volverás al mundo...
pero... ¿qué importa, si el cuerpo
no ha de tener unas alas
para volar de su invierno?

Corazón, ¿para qué sirve
tener los ojos abiertos,

si ha de estar siempre distante
la primavera del cielo?

Aparece aquí, muy levemente, la visión del mundo ya sin él ("un día con sol y flores..."), y hay también lágrimas por su muerte, aunque no ya de una amada imaginaria, soñada, sino de la madre. Pero lo principal está, por un lado, en la intensidad de la imagen macabra ("gusanos" en su pecho, los ojos "pudriéndose" en la tierra), y, por otro, en la desconsoladora negación de una eternidad anhelada ("nunca" irá el corazón a sus "estrellas"; y aunque las almas vuelen, aunque fuera eterna el alma, no sería eternidad verdadera, ya que "el cuerpo / no ha de tener unas alas"). Y no hay resignación, sino vivísima inquietud ("Corazón, corazón mío...") y conciencia de la inutilidad de todo ("para qué sirve..."), si siempre un abismo nos ha de separar del infinito.

Falta aún el salto, el intento de alcanzar esa "primavera del cielo". Pero ya está en camino. Está en el desconsuelo; la conciencia es lúcida y no hay encubrimiento: sólo apasionada constatación de realidades. Por vez primera, creo yo, se acerca aquí Juan Ramón a su *tema* central de la segunda época. Habrían de pasar ocho años antes de que, en *Melancolía*, escribiera algo análogo, y ya presintiendo la salida, ya al borde del salto.

En otro poema de *Arias tristes* alude aún a su muerte; pero es éste muy distinto al anterior. Es muy parecido de tono a la mayoría de los de ese libro en que habla de otros pesares. La muerte aquí ya no es horrible: hay como un abandono a ella, un desmayo entre ternezas y lágrimas y aroma de jardines. La tris-

eza habitual: una pena enfermiza; bello suspirar casi
emenino que, sin embargo, debía de corresponder, y
mucho, a su verdadero sentir de entonces:

> Y pienso esta tibia noche
> que yo debiera morirme
> entre ese dulce recuerdo
> y este aroma de jazmines (pág. 275).

Una alusión a la causa última de su tristeza, al descubrimiento de la muerte, la hay sin duda en los versos siguientes:

> Mi corazón tiene frío.
> —¿Qué quieres tú, corazón?
> ....
> Yo no sé... Pasó a mi lado
> no sé quién... alguien pasó,
> y me arrancó la alegría
> como se arranca una flor (pág. 266).

Un recuerdo de las alucinaciones que el temor a
la muerte, convertido en enfermedad, debió alguna
vez producirle, se encuentra en versos como estos:

> Alguna noche que he ido
> solo al jardín, por los árboles
> he visto un hombre enlutado
> que no deja de mirarme (pág. 280).

Y anteriormente (pág. 268), se refiere a "ese siniestro fantasma / que me hace ronda en silencio" [10].

_____

[10] Juan Ramón dijo al parecer a un periodista en cierta ocasión,
refiriéndose a la muerte de su padre: "Verlo morir mientras la casa se llenaba de gritos me produjo una impresión imborrable. A
partir de entonces tuve durante mucho tiempo la idea fija de llevar

Esto es casi todo lo que se halla en *Arias tristes* relacionado con la obsesión de la muerte. Y poco tiene ello que ver, con la excepción indicada, con el tema cuyos orígenes buscamos. Pero desde luego es más de lo que puede hallarse en los libros que escribió en los cinco años siguientes. Diríase que la preocupación por la muerte disminuyó en él durante algún tiempo. El se refiere, sin embargo, en la nota autobiográfica, a una recaída en su "enfermedad" que debió de ocurrir en 1905, el mismo año en que volvió a instalarse en Moguer. Pero de esto no hay ni rastro en la obra de esos años. Dice él:

> Una larga estancia en las montañas de Guadarrama me trae las *Pastorales;* después viene un otoño galante... que da motivo a... *Jardines lejanos* —febrero de 1905— y pienso *Palabras románticas* y *Olvidanzas.* — La ruina de mi casa acentúa nuevamente mi enfermedad, y es una época lamentable en que no trabajo nada; la preocupación de la muerte me lleva de las casas de socorro a las de los médicos, de las clínicas al laboratorio. Frío, cansancio, inclinación al suicidio. Y otra vez el campo me envuelve con su primavera: *Baladas de primavera.* — Ahora, esta vida de meditación entre el pueblo y el campo... *Elegías.*

la muerte a mi lado" (Copia esto G. DÍAZ-PLAJA, *Op. cit.,* pág. 265, pero no dice de dónde, ni de qué fecha es). Y GRACIELA PALAU DE NEMES, en su *Vida y Obra de Juan Ramón Jiménez* (ed. Gredos, Madrid, 1957, pág. 77) resume, sin citar literalmente, el contenido de unas "Páginas Dolorosas" que publicó el poeta en *Helios,* junio de 1903, y dice: "De aquellos primeros días en Burdeos, Juan Ramón escribió que le tenía siempre miedo a algo extraño, a una posible aparición macabra, a un no sé qué de siniestro e invisible que le acompañaba a todas partes... creyó ver dos veces un hombrecillo extraño, cuya mirada fija y siniestra le helaba el alma...".

En *Jardines lejanos* aparece menos acentuada la nota melancólica y más la erótica; y sólo en alguna ocasión se refiere al "hombre enlutado" (pág. 451) o a un "pájaro agorero" (pág. 420). En *Pastorales,* en un poema que empieza: "El sol dorará las hojas..." (página 619) imagina otra vez el mundo, indiferente, cuando él muera. Y esto es todo. Nada hay, para nuestro objeto, de interés en *Olvidanzas, Las Hojas verdes,* de 1906 (publicado en 1909), o en *Baladas de primavera,* de 1907, publicado en 1910. Y tampoco en *La soledad sonora* —con mucha "flauta" y "Amarilis"— de 1908, publicado en 1911.

Una renovada, intensa tristeza, aparece en cambio en las *Elegías,* sobre todo en el segundo volumen, *Elegías intermedias,* de 1908, publicado al año siguiente; y en el tercero y último, *Elegías lamentables,* publicado en 1910. No parece ahora recrearse en su melancolía. Más bien se muestra desolado al contemplar su hundimiento. A pesar de los floridos alejandrinos, que sustituyen al romance, y de la mucha retórica, más que de embellecer la pena parece tratar aquí sobre todo de anotarla, como en un diario casi. Constantemente vuelve a lo mismo:

> ¡Yo que andaba tan bien por la vida! Dios mío,
> ¿quién turbó la ilusión y la paz de esta historia?
> ¿Por qué mi vida, un tiempo serena como un río,
> se ha puesto así, nublada, triste y contradictoria?
> (pág. 838).

No sabemos cuándo sería su vida "serena como un río". Mas él insiste en recordar la pérdida de su felicidad e inocencia: "¡Pureza antigua!" (pág. 840); "...Aquel fondo dorado de mi vida / con una paz

33

celeste, se hundió yo no sé dónde" (pág. 856). Su corazón "se ha deshojado" (pág. 857).

¿Cuál fue la causa de tal hundimiento? Tal vez la ruina, ahora acentuada, de su casa; tal vez amores tristes, o falta de amores. Pero lo que él indica más claramente es que estaba hastiado de su soledad, de Moguer, de la vida pueblerina: "Días sin emoción, sin novia y sin correo" (pág. 838). El tren "solloza y lleva / hacia el mundo... / Y yo sueño... / ...solo, exaltado y triste" (pág. 865). Y sobre todo es revelador el poema con el que se cierran las *Elegías*, que empieza:

> Hombres en flor —corbatas variadas, primores
> de domingo—: mi alma ¿qué es ante vuestro traje?
> (pág. 898).

Y acaba:

> sé igual que un muerto, y dile, llorando, a la belleza
> que has sido como un huérfano en medio de la vida! [11]

---

[11] En el borrador de una carta de Juan Ramón a Gregorio Martínez Sierra, sin fecha, pero que, como supone R. Gullón, que lo publica, debe de ser de octubre de 1911, se lee: "Yo estoy vendiendo las fincas q. aquí me quedan, después de nuestro desastre pª. irme a Madrid del todo. He calculado y puedo disponer de 40 duros mensuales durante unos cuantos años; si usted tuviera una casita cerca de una casa de socorro... Necesito salir de aquí cuanto antes, Gregorio. Se casa quien no debiera casarse, los Bancos de España y de Bilbao, sacan a subasta todos nuestros bienes, exceptuando los de mi madre, los hermanos estamos distanciados... Y todo esto en un pueblo pequeño y pueblo en plena decadencia sin una sola persona —ni una!— que se interese por cosas de arte. Crea en mi heroismo. Hace un siglo que no salgo de mi casa para nada..." (*Relaciones amistosas y literarias entre Juan Ramón Jiménez y los Martínez Sierra,* Publicaciones de la Sala Zenobia-Juan Ramón de la Universidad de Puerto Rico, Serie B. No. 2, 1961, págs. 109-110).

Y en una página, "Héroes españoles", fechada en 1930, publicada en el núm. 4 de *Sucesión,* en 1932, Juan Ramón escribe: "La

Tal vez el aburrimiento, la soledad, los horteras, despertaran su tristeza; o quizás una tristeza honda —la muerte— saliendo de nuevo a flote era lo que causaba el aburrimiento, la soledad. Sea como fuere, hay en *Elegías* aburrimiento, tristeza, y también, de nuevo, el recuerdo de la muerte. A veces aparece éste en la forma ya conocida, muy gastada, como en el poema que empieza: "Iré, blanco, en la caja de negro terciopelo" (pág. 885). O luego: "La golondrina cana — El poeta está muerto..." (pág. 889). Pero en alguna ocasión se trata de algo distinto, como cuando dice:

¡Sentir el alma llena de flor y de simiente
y ver llegar el hielo negativo y eterno! (pág. 843).

Aquí, quizás por vez primera, alude a la nada ("el hielo negativo y eterno") como una amenaza, un cerco que hace inútil, dolorosa, su obra de poeta, de cantor de la belleza ("el alma llena de flor y de simiente"). A partir de entonces, de 1908 a 1915, se refería en algunas ocasiones, de diversos modos, al contraste *belleza-nada*.

En "Nostalgia", de *Poemas mágicos y dolientes*, libro escrito en 1909 y publicado en 1911, escribe:

La belleza
me inunda de divinas armonías,
y siento en mi alma, arruinada y seca,
....

tristeza que tanto se ha visto en mi obra poética nunca se ha relacionado con su motivo más verdadero: es la angustia del adolescente, el joven, el hombre maduro que se siente desligado, solo, aparte en su vocación bella".

35

He de hundirme en la nada. Silenciosos
vientos de olvido y de dolor me llevan... (pág. 1063).

El contraste se repite en otro poema, poco más adelante:

> ¡Cómo resuena el rojo reir del mirlo
> por el jardín abandonado!...
> ....
> .... glorias líricas,
> cerca del poderío de la muerte! (pág. 1065).

Hay en *Poemas mágicos y dolientes* la misma desolación que en las *Elegías*. Dice, por ejemplo: "Sólo resta la muerte. ¡Y el recuerdo no es nada!" (página 1093). O luego: "¡Qué invasión de tristeza...". Y en ese mismo poema alude a su destierro en Moguer: "¿Muerto en vida, y por siempre..." (pág. 1101).

En *Melancolía,* de 1910-1911, publicado en 1912, hay diversos poemas en que indica haber decidido que, después de todo, es mejor la vida en Moguer que en otra parte: "No me tienta la gloria. ¡Sólo una vida en paz..." (pág. 1383); "En los pueblos se ven más claras las estrellas..." (pág. 1409); "...esa paz que no tienen los hombres / que, en las locas ciudades..." (pág. 1420). Pero, de pronto, llega otra vez el hastío:

> el hogar es lo mismo que un calabozo impuro
> ....
> Yo no sé si esta vida sin mudanza es la vida (pág. 1428).

Y sigue luego con lo mismo: "...vivir entre eriales... / perros y polvo" (pág. 1431). Poco después de escribir esto, en 1912 o a fines de 1911, se fue a vivir a Madrid, donde residiría, con pocas interrupciones, hasta el verano de 1936. En esta fecha se fue a América, y allí se quedó hasta su muerte [12].

Debía de estar todavía en Moguer cuando escribió un poema, incluido también en *Melancolía*, que es precursor de alguno de los más bellos y representativos de su segunda época. Se trata del tema del pájaro en la enramada, cantando. Un asunto que le había tentado ya varias veces. Cierto misterio había para él en el canto del pájaro escondido, canto que tocaba su corazón. Ya en 1907 la "Balada triste del pájaro de agua", de *Baladas de primavera*, terminaba:

> ¡No te vayas nunca,
> corazón con alas!
>
> Pájaro de agua,
> ¿qué cantas, qué cantas? (pág. 751).

Y acabamos de ver que en 1909 le asombraba el "rojo reir del mirlo" resonando en el jardín abandonado. Pero ahora, en 1910 ó 1911, en el poema de *Melancolía* a que nos referimos, está ya cerca, en cuanto al tema, de "Criatura afortunada" de *La estación total*. No sólo hay el pájaro que canta, libre y sin cuidado, sino también, bastante evidente, el deseo de identificarse con él, de salvarse de la muerte siendo como él. Comparado con "Criatura afortunada", este

---

12 La señora Palau de Nemes, que presentó su libro a Juan Ramón para "verificación de los datos biográficos", dice que él fue a Madrid a "fines de 1911", y que vivió en una pensión unos meses hasta que se trasladó a la Residencia de Estudiantes a "principios de 1912" (*Op. cit.*, págs. 123 y 176). Pero Juan Ramón mismo, en el artículo ya citado sobre Villaespesa, de 1936, dice: "En 1905... me fui otra vez a Moguer y no volví a Madrid hasta el 12".

poema es relativamente tosco, por demasiado explícito,
entre otras cosas. Pero justamente por ser explícito no
deja lugar a dudas en cuanto a su sentido, y ese sentido es lo que nos interesa. En él aparece, en esencia,
lo que será más tarde muy característico del *tema central*. Dice así, en parte:

> En un nido de sol rosa y oro los pájaros,
> a la tarde, ya fría, de otoño, están gorjeando...
> ....
> ¡Qué frío el de la muerte presentida!...
> ....
> las hojas secas caen..., todo está solitario...
> ....
> Los pájaros palpitan... Mi corazón, un pájaro
> que presiente la muerte, los mira, triste...
>   Cuando
> se apaga el sol, ¿en dónde se esconden?...
> ....
> ¿Dónde mueren? ¿Es que hacen un nido en el ocaso?
> ¿Es que pueden huir de la muerte, cantando?

(pág. 1389).

Huir de la muerte cantando: ésa será luego su
constante ambición. No se contentará con percibir el
canto del pájaro, o mirar con embeleso la nube, sino
que querrá ser con ellos, como ellos: fuente de lo bello, libre del temor de la muerte, en armonía con la
belleza toda.

En *Laberinto*, de la misma época, 1910-1911, publicado en 1913, nada hay en cambio, para nuestro objeto, que sea interesante. Y después de este libro sólo
hay dos más (aparte *Platero y yo*, en prosa, publicado
en 1914, y que tampoco nos interesa ahora), escritos

antes del *Diario*: los *Sonetos espirituales* y *Estío*. Pero antes de ver lo que se encuentra en ellos, en cuanto al *tema*, hemos de fijar la atención en ciertos poemas sueltos, o pertenecientes a libros nunca publicados, que Juan Ramón fecha entre 1911 y 1913, y que se incluyen en la *Segunda Antolojía*. En ellos hay asuntos parecidos a los que ya hemos mencionado, o que se relacionan de algún modo con el *tema*. Ahora bien, como es sabido que él corregía tanto sus poemas, especialmente los de la primera época cuando incluía éstos en antologías, no podemos estar seguros que lo que aparece en la versión de 1922 se encontrara ya en la primera versión, si no conocemos ésta. Pero es muy posible que estuviera, al menos lo esencial, lo que a nosotros aquí nos importa, ya que sabemos, por lo que hemos visto, que cosas parecidas había él ya escrito en libros publicados antes de 1912.

Veamos pues, con las mencionadas reservas, algunos versos de esos poemas que aparecen por vez primera en la *Segunda Antolojía*.

"A la luna del arte", que tiene en la antología el número 194, es de 1911, según su autor indica, y aunque sea con pesados alejandrinos, y no con el verso "desnudo", trata de lo mismo que tratan muchos poemas en *Poesía* y en *Belleza*, diez años después : la obra del poeta como medio de alcanzar eternidad ; ese afán de vaciarse en sus versos para que la muerte luego se lleve sólo el cuerpo estéril, seco :

Cuando venga la muerte a llamar a mi puerta,
encontrará en mi choza, entre hojarasca, un leño.
¡Sí, mi fragancia huele ya en lo azul de tu huerta.
Mi canción es ya eterno ruiseñor de tu ensueño!

39

En el 250, de 1911-1912, titulado "El", habla otra vez del pájaro cantando. Seguramente este poema en heptasílabos está muy retocado. La parte final es bastante oscura; pero no el principio, donde con una curiosa inversión, más que identificarse con el pájaro, con el canto, lo que hace es anhelar perennidad para ese canto. Pero el resultado es el mismo:

> Cantando está, cantando
> —¡silencio!— entre sus cosas...
> ¡Ay, si su engaño fuese
> eterno! Si su boca
> no se cansara nunca
> de cantar esta historia...

El que titula "Hora inmensa", número 286, de 1911-1913, tiene unos bellos versos que expresan bien ese arrobamiento ante el silencio del paisaje que, mezclado a un ansia de eternidad e infinito, habría de producir más tarde alguno de los mejores poemas de *La estación total*. Acaba así:

> Sólo turban la paz una campana, un pájaro...
> ¡Parece que lo eterno se coje con la mano!

El primero de estos dos versos sugiere muy adecuadamente el paisaje y la situación contemplativa. Mas en el segundo no sólo se introduce "lo eterno", la intuición de lo eterno en ese paisaje, sino también el ansia de ello, y hasta queda indicado un movimiento con el "parece que lo eterno se coje..." Impulso hacia lo otro, escape de sí hacia lo bello, eterno, que es la esencia de muchos de sus poemas de después, la esencia del *tema*.

Y por último, de la misma fecha, el 291 tiene asunto análogo. El ansia de eternidad despertada por la belleza aparece de un modo bien explícito:

> Tarde última y serena
> ....
> —Atravesando hojas,
> el sol, ya cobre, viene
> a herirme el corazón.
> ¡Yo quiero ser eterno!—
> Belleza que yo he visto
>
> ....
> ¡yo quiero ser eterno!

Nada tiene esto que ver, es evidente, con la resignación a la muerte o con el recrearse en ella endulzándola con lágrimas. Si bien en el poema número 153, de 1910 ó 1911, "El viaje definitivo", una vez más, aunque ya sin "negra caja" y con menos sollozos, vuelve a imaginar el mundo —empezando ahora por los pájaros— como quedará cuando él esté ausente: "...Y yo me iré. Y se quedarán los pájaros / cantando".

Aparte este último, los poemas de la *Segunda Antolojía* a que nos hemos referido, en adición a los que anteriormente vimos de *Elegías, Poemas mágicos y dolientes* y *Melancolía,* creo hacen posible afirmar, sin lugar a dudas, que entre 1908 y 1913, si no antes, Juan Ramón esboza ya los rasgos principales de lo que sería años más tarde tema central de su poesía; aunque en esa fecha temprana se trata aún de sólo unos cuantos poemas.

Posteriores a 1913 son los *Sonetos espirituales,* de 1914-1915 (publicados en 1917), y *Estío,* de 1915 (publicado en 1916). Con los *Sonetos...,* sus primeros y últimos sonetos, acaba en verdad su primera época [13]. Con *Estío,* de verso ligero, casi siempre heptasílabos asonantados o romance, se anuncia ya claramente la poesía "desnuda", el verso libre del *Diario, Eternidades* o *Piedra y cielo.* Sin embargo los *Sonetos...* y *Estío* no son, en general, muy diferentes de contenido. En ambos libros se percibe un resto de la antigua melancolía, sobre todo en los sonetos, y en ambos se reflejan las alegrías, esperanzas e inquietudes de su nuevo y grande amor, sobre todo en *Estío.* Sólo dos o tres poemas en cada libro podríamos decir que tienen alguna relación con el *tema.* Pero esto no es evidente sino en dos sonetos.

Dice el número XLIII de los *Sonetos espirituales:*

Se entró mi corazón en esta nada,
como aquel pajarillo...
....
en la sombría sala abandonada.

---

[13] La primera época de Juan Ramón se puede dividir, claro es, en varias sub-épocas, como también la segunda. Por eso se habla a menudo de varias épocas en su poesía. A mí me ha parecido más conveniente, y más de acuerdo con los hechos, referirme sólo a *dos* grandes épocas, aun haciendo luego en cada una, y sobre todo en la segunda, que es el objeto principal de estudio en este libro, las necesarias distinciones entre uno y otro período. Juan Ramón mismo, en sus últimos años, dividía en *dos* partes su obra poética: "El verso quiero reunirlo en dos volúmenes. Uno dedicado a la época que comienza con el *Diario,* pues este libro da entrada a una época de mi poesía. Desde entonces hasta hoy; desde 1916 1953, es decir, entre mis treinta y cinco y mis setenta y dos años, escribí unos mil poemas; desde mis quince años hasta el *Diario* escribí otros mil poemas. Es decir: cifras equivalentes... El fin de la primera época son los *Sonetos espirituales.* Mi renovación empieza cuando el viaje a América y se manifiesta con el *Diario.* El mar me hace revivir..." (*Conversaciones...,* pág. 120).

De cuando en cuando intenta una escapada
a lo infinito...

Pero tropieza con el bajo cielo
....
En un rincón se cae, al fin, sin vuelo,
....
palpitando de anhelo y de torpeza.

La comparación con el pajarillo prisionero sería vulgar si no fuera por lo que dice en el primer endecasílabo: "Se entró mi corazón en esta *nada*". Es la nada lo que le corta el vuelo, y es inútil intentar la huida: eso mismo, o cosa muy parecida, dirá a menudo después. La nada le moverá luego a levantar el vuelo hacia lo bello y eterno, buscando escape; pero esa misma nada, rodeándole implacable, persistente, le hará una y otra vez caer desfallecido. No puede decirse que haya en este soneto momento de caída, tras la ilusión, porque no ha habido ilusión: fue sólo un reconocimiento de la cárcel, un claro sentimiento de la nada. Pero este sentimiento es indispensable para poder empezar a mover las alas.

Parecido, aunque más oscuro, es el soneto VIII, muy conocido, que se titula "Nada". Es un tanto conceptista, y algunos endecasílabos resultan quizás ambiguos, pero lo que en total dice es relativamente simple: quiso él encontrar en sí, en la poesía, refugio contra la nada; mas la nada ahora le invade y duda y tiembla:

NADA

A tu abandono opongo la elevada
torre de mi divino pensamiento;

43

subido a ella, el corazón sangriento
verá la mar, por él empurpurada.

Fabricaré en mi sombra la alborada,
mi lira guardaré del vano viento,
buscaré en mis entrañas mi sustento...
Mas ¡ay! ¿y si esta paz no fuera nada?

¡Nada, sí, nada, nada!... —O que cayera
mi corazón al agua, y de este modo
fuese el mundo un castillo hueco y frío...—

Que tú eres tú, la humana primavera,
la tierra, el aire, el agua, el fuego, ¡todo!,
...¡y soy yo sólo el pensamiento mío!

Es bastante claro lo de oponer a la nada la "torre"
del "pensamiento", es decir, el propósito de crear dentro de sí un mundo propio, sin atender al vacío; fa-
bricando "la alborada" y protegiendo la lira contra el
"vano viento". Y es también clara la duda, y más que
duda, de pronto, de que pueda él en verdad aislarse de
la nada ("¿y si esta paz no fuera nada?"). Si su corazón al fin cayese al agua; si él, con sus sentimientos,
ha de hundirse en la nada, entonces el mundo es sólo
como un castillo "hueco y frío". Y no es fácil salvarse
de ese destino presentido con la sola voluntad, a solas,
con "solo el pensamiento mío".

Lo que sin embargo resulta oscuro en el poema
procede, creo yo, de la identificación que al parecer se
hace de la nada con el mundo, con el mar, en el primer
cuarteto y en el segundo terceto, cuando a la vez se
dice que si su corazón se hundiese en la nada, cayese
al agua, al mar, entonces resultaría ser hueco y frío
"el mundo". El mundo ya lo era, por estar desde el

principio identificado con la nada, cayese él o no cayese. Pero la contradicción es sólo aparente y se explica: es al pensar en la propia muerte cuando el mundo parece realmente hueco y frío, aunque antes ya se hubiese visto o pensado así, como nada, como flotando sobre la nada.

En todo caso me parece seguro que estos dos sonetos excepcionales (y digo excepcionales no por lo buenos que sean, sino por lo diferentes que son de los demás) son la base de muchos poemas de después. El énfasis está en ambos en lo negativo, en el descubrimiento de la nada, más que en el esfuerzo de salvación. Pero en todo caso ese sentimiento de la nada aparece ya en él como algo bien establecido, no una mera intuición vaga y pasajera, y ello explica ese vivo y persistente anhelo de trascender de sí que iba a ser pronto el motivo de tantos de sus poemas.

En *Estío* es excepcional el último poema, número CVI, "¡Silencio!", que empieza: "No, no digáis lo que no he dicho". No se sabe con seguridad —no lo sé yo en todo caso— a qué se refiere. Podría pensarse quiere decir que nadie podrá descubrir el secreto (belleza, etc.) del mundo que él no haya desvelado. Pero esto, aparte de que sería demasiado audaz, aun para Juan Ramón, no corresponde al texto. El indica que conoce el secreto ("yo solo sepa / ...guárdalo en tus pétalos / como en mi corazón... / ...nunca dicho ya por nadie, / con mi silencio eterno"). Y también que este secreto es horrible y debe ocultarse:

Tu luna llena me lo tape, cielo inmenso,
en la noche solemne;
tú, río que lo sabes, sigue hablando
como quien no lo sabe, paralelo

en tu huir infinito
a mi secreto pensamiento yerto;

Y lo del "secreto pensamiento yerto", entre otras cosas, nos inclina a pensar que ese secreto a que alude no es otro que el vacío del mundo, la inutilidad de todo, la nada. Esto lo confirma, creo yo, lo que se lee en el poema antepenúltimo, CIV:

Una tarde, la brisa
más fría, la congoja
más doliente del pájaro,
la luz, más angustiosa,
nos abren el sentido
a la verdad...

Y esto se relaciona, probablemente, con ese heroico propósito de salvación —entregándose al trabajo, a la Obra, a la búsqueda de la belleza— que expresa en estos cuatro versos del poema siguiente:

Cavaré la roca dura
hasta que la sola flor
que saca del barro el cielo
me toque en el corazón.

Estos tres poemas últimos que hemos citado vienen después de uno, original y bello, llamado "Convalecencia", en donde el sol ahuyenta las sombras de la muerte. Debió de escribir los cuatro después de una enfermedad, y eso explica tengan tono y tema muy distinto a los anteriores del libro, sobre todo los dos que mencionamos primero.

No es tan raro como a primera vista parece que ese fuerte asalto de la nada, en ocasiones, en 1914 y

915, ocurriera precisamente cuando más feliz él se sentía : enamorado, olvidados en gran parte sus anteriores penas y lloros. Ahora no se recrea en la imagen de la muerte, no se deleita con sus sentimientos melancólicos en jardines, sino que la idea de la muerte, la sombra de la nada, *aparece* ante él de pronto, amenazante, y muy a su pesar. Lo mismo ocurriría un año después, con frecuencia, en el *Diario de un poeta recién casado.*

Entre 1908 y 1915, pues, en poemas sueltos, con rasgos diversos, aparece ya, aunque sea parcialmente, se *tema* que de un modo cada vez más intenso y concentrado aparece en toda su obra de después, hasta culminar en *Animal de fondo,* como vamos a ver.

LA SEGUNDA EPOCA

En 1916 comenzó una nueva época en la vida y
en la obra de Juan Ramón Jiménez: se casó y escribió
el *Diario*.

Antes de empezar a ver cuál es el desarrollo del
tema en esta segunda época, conviene fijar la atención
en ese nuevo estilo que aparece, o al menos aparece
con plenitud, en el *Diario*. Este será básicamente el
estilo poético suyo hasta el final de su vida. Hay desde
luego cierta evolución, y recaídas frecuentes a lo barroco; pero si se consideran, en conjunto, por un lado los
poemas anteriores al *Diario* y por otro los posteriores a
él, se notará una gran diferencia: un cambio hacia la
poesía "desnuda".

Nos interesamos ahora sobre todo por el contenido
de los poemas; pero ya sabemos que el fondo sólo se
revela por la forma, y conviene por tanto empezar por
saber cuál es el carácter de esa forma, de ese estilo. Si
la forma es confusa, o si es límpida, de un modo confuso o límpido nos serán transmitidos los sentimientos
e impresiones que ella encierre. Si ahora, en la segun-

49

da época, aparecen con nitidez diversos aspectos de esa creciente preocupación suya con la muerte, la belleza y la eternidad, ello es porque, de pronto, la poesía suya se ha hecho nítida, aunque no siempre fácil. O quizás fue la nitidez del pensamiento y sentimiento, la nitidez de su visión, lo que produjo esa limpia forma.

Ya que la plenitud del nuevo estilo coincide con la plenitud del *tema,* es decir, la novedad del verso libre y preciso, definidor, con la clara aparición, en toda su abundancia y complejidad, de lo que venimos llamando el tema central de su poesía en la segunda época, cabe preguntarse si entre ambos hechos no existe alguna relación. ¿Es que el estilo nuevo facilitó el desarrollo de ese *tema,* o es, por el contrario, que una causa determinante en la formación de ese estilo fue el haber él precisado, y el haber crecido en él, esa obsesión por la nada y por la eternidad?

EL "NUEVO ESTILO" Y SU
RELACION CON EL "TEMA"

Vamos a dejar aparte la prosa del *Diario,* que merecería un estudio por separado. Esta, además, se emplea casi siempre para recoger impresiones más superficiales, menos íntimas, que las que recoge el verso. Para lo propiamente lírico usa siempre el verso, aunque éste sea desnudo, incoloro y libre, y suene casi como prosa. Abundan los endecasílabos y heptasílabos, pero irregularmente distribuidos, mezclados con versos de otra medida, de cualquier medida; y abundan las asonancias, pero distribuidas también con irregularidad.

Es un verso rítmico a su modo, más para visto que oído, y que suena como un "decir". Da la impresión de algo que se dice, de un modo exacto, no que se canta. Mas lo que él dice, sin cantar, queda a menudo, por su contenido, como cantando. Cantan las cosas, en esta poesía, y canta el alma que las contempla, pero no canta el verso. Es un hondo y simple —aparentemente simple— expresar lo que él siente ante lo que ve: un apasionado, y a la vez contenido, *decir*. Trata él, y lo consigue con frecuencia, de comunicar lo esencial, sin divagación y sin adorno.

Lo importante, pues, para él ahora, en el *Diario*, en lo mejor del *Diario*, no es el brillo de la palabra o la música, sino la exactitud. Y la exactitud no la consigue tanto por imágenes, comparando, según es usual, como nombrando y adjetivando muy cuidadosamente. El verso así parece muy simple; pero, naturalmente, hay una transformación de la palabra ordinaria en palabra poética, reveladora.

Al referirse el propio Juan Ramón a esa nueva poesía suya, hace pensar que la palabra por él empleada es más simple y directa de lo que realmente es. En el conocido poema III de *Eternidades*, de fines de 1916 probablemente, escribe a modo de oración:

> ¡Intelijencia, dame
> el nombre exacto de las cosas!
> ...Que mi palabra sea
> la cosa misma,
> creada por mi alma nuevamente.

El "nombre exacto", sí, para que la palabra sea "la cosa misma"; pero la cosa, y esto es lo importante, "creada por mi alma nuevamente". O sea, la cosa recreada, vista con frescor y representada por la palabra *viva*, palabra que revela el sentido de la cosa. Y el

51

nombre *exacto,* que abarque todo el contenido de una cosa, es decir, de nuestra experiencia de la cosa, no se consigue con la palabra ordinaria, sino con la palabra elevada ya a poesía.

Poco antes, en el *Diario,* en una página en prosa de 3 de mayo de 1916, escribía, pensando sin duda en ese nuevo estilo suyo, recién hallado: "Porque no se trata de decir cosas chocantes... sino de decir la verdad sencillamente, la mayor verdad y del modo más claro posible y más directo"[14]. Mas al querer decir una verdad no obvia, al querer expresar esa "mayor verdad", poética, el modo más claro *posible* no es siempre completamente claro; ni el más directo completamente directo. Esa poesía "desnuda" suya nunca es tan simple como a simple vista parece. En realidad es casi siempre bastante complicada. Una palabra simple, exacta, se junta a otra simple y exacta también; pero el conjunto, aunque exactísimo, ya no es tan simple. La combinación es compleja, aunque por estar formada de elementos simples no lo parezca. Veamos un ejemplo, el principio y el final del poema "Cielo", de la sección segunda del *Diario* (pág. 58):

> Te tenía olvidado,
> cielo, y no eras
> más que un vago existir de luz,
>
> ....
>
> Hoy te he mirado lentamente,
> y te has ido elevando hasta tu nombre.

"Te tenía olvidado" es simple; pero no tanto, aunque sí muy exacta, la manera en que se precisa cómo

---

[14] *Op. cit.* (ed. Calleja, 1917), pág. 148. En las citas posteriores del *Diario,* las páginas que se indican corresponden a esta edición.

era el cielo en esos momentos de olvido. "Vago" es simple, y más aún "existir", pero no tanto "vago existir", aunque sea exacto para describir el cielo que no miramos con avidez, que está ahí, pero de cuya presencia apenas nos damos cuenta; y raro, aunque no lo parezca, poesía ya y no prosa, algo exactísimo, es ese "vago existir de luz".

Y lo mismo el final: es simple el "te he mirado", calificado por el "lentamente"; pero no el verso último, clave del poema, que resume la experiencia poética: "y te has ido elevando hasta tu nombre". Quiere esto decir, claro es, que el cielo se le reveló como cielo, con todo lo que ello significa (infinito, misterio, belleza...). Pero el modo de decirlo es lo importante. Gracias a la palabra poética, lo que sería una simple noticia se convierte en una honda experiencia transmitida.

¿Dónde está en ese verso de apariencia tan simple la palabra reveladora? En primer lugar el "te has ido elevando", progresivo, junto con la mirada *lenta* del verso anterior, sugiere no sólo la mirada sino el movimiento de la cabeza incluso, es decir, la situación concreta del observador, con el cual nos identificamos; y nos hace así vivir en cierto modo la experiencia desde dentro. Por otra parte esas mismas palabras, tan cuidadosamente escogidas, sugieren la grandeza del cielo al sugerir su elevación siempre creciente; nos hacen *ver* el cielo, cualquier cielo, tal como éste ante nuestros ojos siempre aparece.

Al simple "te has ido elevando" sigue "hasta tu nombre". La combinación resulta extraña, chocante, pero de ella surge esa chispa que es la poesía. Sólo así dice, con admirable brevedad, lo que quiere decir: que el cielo, no visto, no sentido en verdad antes, de pronto se convierte en "cielo", cielo vivido. La palabra "cielo" antes opaca, viene él a decir en el poema, palabra gastada por el uso, de pronto recobra su brillo. Es como una rara joya que encierra en sí lo inabarcable, lo inacabable. Al mirar al cielo vemos a éste crecer, elevarse; pero todo cuanto abarcamos con nuestra mirada es sólo una pequeña parte, un poco de cielo ascendiendo hacia esa totalidad infinita contenida en la palabra "cielo". Por eso él habla de elevarse "hasta tu nombre"; pero, dice, sabiamente, no "te has elevado" hasta tu nombre, como algo acabado ya, para indicar su redescubrimiento del cielo, sino "te has ido elevando", para indicar así que al redescubrir al cielo, al ver el cielo, que teníamos olvidado, lo descubrimos como un irse elevando hasta el "cielo". El cielo que nosotros percibimos es un *irse elevando,* un crecer, una aspiración a eternidad. Ese es su descubrimiento, que describe con gran precisión. Y lo hace gracias a esa rareza, invisible casi, gracias a ese hallazgo encerrado en el verso magnífico, de apariencia simple: "y te has ido elevando hasta tu nombre". Verso eficaz, que comunica el mensaje que contiene.

Si su verso, sobre todo en estos primeros libros de la segunda época, parece a menudo muy sencillo, es porque la transformación de la palabra común en palabra poética se consigue quitando más que agregando, purificando; y también por medio de hábiles síntesis a base de elementos muy simples.

La novedad del *Diario* consiste sobre todo en el carácter que tiene de "diario". Los mejores poemas suyos parecen ser tan sólo descripción fiel de algo visto; un simple fijar la emoción vivida un instante. Su estilo "simple" es sólo el medio empleado para poder pintar sin enturbiar, tocar en lo esencial sin distraer con lo accesorio. No necesita enriquecer la palabra porque la experiencia a que ésta se refiere es rica de por sí. Lo que necesita es la palabra exacta, no el adorno. Y es que lo que importa en él, casi siempre, es sobre todo el contenido. En los mejores poemas suyos, como en los de otros grandes poetas, la palabra, transparente, es sólo como el cristal que deja ver el interior. Un cristal que se fabrica con sumo cuidado.

Claro es que en todo poema lírico que no sea un simple abandonarse al encanto de la palabra como tal, por su valor sugerente, se recoge siempre, en cierto modo, la emoción de un instante. Mas a menudo el poeta —como le sucede a Juan Ramón mismo en casi toda su primera época, y en algunas ocasiones también en la segunda— tiende a falsear lo vivido con la composición y el adorno, y con el comentario sentimental. Me figuro incluso que es frecuente en muchos poetas, en muchos poemas, no escribir por haber vivido, para expresar lo vivido, sino escribir para vivir; es frecuente vivir la experiencia poética al escribir, y sólo al escribir. La experiencia poética, cierto, sólo queda encerrada y sólo es transmisible al escribirla, al revivirla escribiéndola. Y se comprende bien que se redondee y matice entonces, al revivirla, al recrearla, escribiéndola; pero todo gran poeta, creo yo, parte de algo que vivió primero, sin escribir, y *luego* escribe, reviviendo y retocando.

En todo caso esto es lo que ocurre con el *Diario,* donde él *dice,* escribe, apunta día a día, lo sentido, lo que va sintiendo. Y apenas escoge entre los diversos sentimientos. Diríase que cualquier estado de alma, cualquier visión, cualquier momento, es motivo de un poema. Sólo se esmera en sacar a flote lo que su visión contiene, en desvelar la realidad de su alma y de las cosas que se presentan ante sus ojos: la realidad de su alma ante las cosas. No necesita "asunto", y tampoco "composición"; le basta ver y sentir, ahondar en lo visto y sentido y expresarlo con la mayor exactitud y claridad [15].

Esto proviene de ser el libro un "diario", se dirá. Pero el caso es que, como ya hemos indicado, e iremos viendo, el carácter y tono, el estilo de la mayoría de sus poemas en los libros siguientes es esencialmente el mismo. Quizás, en vez de decir que escribe así porque escribe un "diario", sería más exacto decir que precisamente porque él decidió escribir de ese modo, esto es, anotando con exactitud sus diarias impresiones, es por lo que se le ocurrió poco más tarde, con motivo de su viaje y de su boda, escribir un *Diario*. No es seguro siquiera que él pensase ya en este título cuando empezó a escribirlo en Madrid, a principios de 1916, al disponerse a salir hacia los Estados Unidos. Lo que sí es claro desde el comienzo, y aun en cierto modo desde antes, desde *Estío,* es su inclinación hacia una nueva poesía "natural y diaria", como él dijo mucho más

[15] En una carta "A Luis Cernuda", publicada en el núm. VI de la revista mejicana *El Hijo Pródigo* (México, sept. 1943), escribía Juan Ramón: "Yo he desdeñado siempre, y más cada día, el 'asunto' y la 'composición'... El poema es semilla más que fruto... yo hago la esencia. El que pueda, que la coja... La espresión alada, graciosa, divina, y nada más, nada menos. Que otros sean los albañiles o los panaderos plásticos del idioma español". Pero por la misma época, 1943, reconocía en carta a Canedo que con frecuencia él había recaído, aun después de 1916, en el "vicio barroco".

tarde [16]. Una poesía que resulta muy distinta, en general, a toda la suya anterior.

Fue un cambio más bien repentino que ocurrió cuando él tenía 33 años. Se cansó de pronto de su estilo recargado, vestido con excesivos "ropajes", sobre todo en los años 1908-1914. Se cansó de su excesivo colorido y música, y de sus muchas lágrimas. Durante todo el resto de su vida sintió aversión grande, excesiva sin duda e injusta, hacia la mayor parte de su obra anterior a 1916. Posiblemente provocaron el cambio vientos que llegaron de fuera, vientos del norte, es decir, su contacto con la poesía de habla inglesa. Y es muy probable que Zenobia, aun antes de casados, tuviera en esto un papel. Al conocimiento que él pudo tener de determinados poetas norteamericanos se ha aludido más de una vez [17]. Y el viaje a Estados Unidos, en la primavera de 1916, debió de facilitar ese conocimiento. Mas no hay que olvidar que los poemas de la sección segunda del *Diario*, escritos antes de que él pisara América, ya son plenamente del nuevo estilo. De todos modos es posible que hubiera en él alguna vaga influencia de poetas de habla inglesa, lo cual es cosa que el propio Juan Ramón indica [18].

---

16 En la misma carta a Cernuda escribía: "En 1916, insisto, vi... que la lírica latina, neoclasicismo grecorromano total, no es... lo mío; que siempre he preferido, en una forma u otra, la lírica de los nortes, concentrada, natural y diaria".

17 Véanse, por ejemplo, las obras citadas de Díez-Canedo (página 120), Guillermo Díaz-Plaja (págs. 237-241) y Palau de Nemes (páginas 201-202). En ésta última se dice además, refiriéndose al parecer al *Diario*: "Este simbolismo del mar en Juan Ramón procede de la poesía de Valéry. A Juan Ramón le gustaba mucho *El cementerio marino*..." Pero se olvida, entre otras cosas, que la obra indicada de Valéry es posterior a la de Juan Ramón...

18 En la carta a Cernuda, de 1943, indica: "...los versos de

Un factor decisivo en el cambio de gusto fue, creo yo, su noviazgo y casamiento con Zenobia Camprubí. Todo lo anterior suyo, en su vida o en su poesía, debió parecerle de pronto falto de realidad, una mentira, un sueño. Repetidamente equipara él, desde entonces, poesía "desnuda" y mujer desnuda; plenitud del amor y nueva y honda poesía de realidades. Recuérdese el famoso poema V de *Eternidades,* reproducido en la *Segunda Antolojía:*

> ...Mas se fue desnudando.
> Y yo le sonreía.
> ....
>
> ¡Oh pasión de mi vida, poesía
> desnuda, mía para siempre!

En el *Diario,* durante el viaje de vuelta, se refiere por segunda vez a su nuevo credo poético. Primero en Nueva York, el 3 de mayo, en unas líneas en prosa ya citadas, había expresado su propósito de "decir la verdad sencillamente". Ahora, el 9 de junio, en "Sol en el camarote" (págs. 181-182), escribe:

> No más soñar; pensar
> y clavar la saeta,
> ....
>
> Nunca ya construir
> con la masa ilusoria.

Edwin Arlington Robinson, de William Butler Yeats, de Robert Frost, de A. E., de Francis Thompson, unidos a los anteriores de Whitman, Gerard Manley Hopkins, Emily Dickinson, Robert Browning me parecieron más directos, más libres, más modernos, unos en su sencillez y otros en su complicación. Lo de Francia, Italia y parte de lo de España e Hispanoamérica se me convirtió en jarabe de pico... William Blake, Emily Dickinson, Robert Browning, A. E., Robert Frost, William Butler Yeats, etc., fueron mis tentadores más constantes".

Y luego en *Eternidades,* poco después, se lee este "Epitafio de mí, vivo": "Morí en el sueño. / Resucité en la vida" [19]. El "recién" del título del *Diario,* que se refiere a "casado", podría también referirse a "nacido".

El amor, tanto o más que la poesía de habla inglesa, debió contribuir a ese renacimiento. Mas sea cual fuere la causa, el hecho es que ya al comenzar el *Diario* le vemos tendiendo hacia esa poesía desnuda, de verso sencillo en apariencia, que consiste tan sólo en anotar con fidelidad sus impresiones. Pero la plenitud de ese estilo no llega sino poco después, en el mismo libro, con un poema que se llama "Soledad".

Poesía "natural y diaria" no quiere decir nunca en Juan Ramón poesía vulgar. Pero tampoco es siempre, claro es, interesante o bello lo que ve o lo que encuentra en sí. A él todo o casi todo lo que ve o siente le parece digno de ser registrado; mas no todos los poemas o prosas del *Diario* tienen ni mucho menos el mismo valor. Hay algunos que por su misma índole no importan, no pueden importar a nadie, a no ser como mera curiosidad. La poesía suya es siempre límpida; mas lo que esa limpidez revela no tiene siempre la misma calidad. En este sentido el *Diario* es un libro muy irregular. Todo depende de la calidad intrínseca y de la intensidad de la impresión que registra.

Pues bien, no es difícil ver que los más hondos, los más logrados poemas del nuevo estilo, en el *Diario,* son los de amor, o bien los que se refieren a sus impresiones frente al mar, que son los que tienen que ver con el *tema.* De estos dos grupos de poemas los más im-

---

[19] *Eternidades,* Tip.-Lit. de Angel Alcoy, Madrid, 1918, XIX, pág. 36. El número que indica la página, siguiendo a las citas posteriores de este libro, se refiere a esta edición.

portantes, más densos, creo yo, son los del mar. E[l]
mismo Juan Ramón parece reconocerlo así cuando, a[l]
editar de nuevo el *Diario,* en 1948, cambió el antigu[o]
título por el de *Diario de poeta y mar*[20]. Sería, clar[o]
es, difícil "probar" que esos poemas que decimos, de[l]
mar, son en verdad superiores a los otros, y en tod[o]
caso no vamos a intentar aquí esa prueba. Pero lo qu[e]
me parece menos discutible —y para convencerse basta abrir el libro— es que el *Diario* adquiere un ton[o]
distinto, que el nuevo estilo logra plena madurez, sól[o]
al llegar al poema "Soledad", uno de los primeros e[n]
que se habla del mar, justamente cuando irrumpe e[l]
tema.

No es que la impresión a que se refiere ese poem[a]
fuese algo imprescindible para que alcanzase el nuev[o]
estilo una plenitud; pero sí necesitaba *una* impresión,
cualquiera que fuese, que no fuera banal. Y suced[e]
que una tal impresión, emoción entrañable, la experi-
menta sólo después de haber embarcado: ante el mar,
que le hace sentirse débil, perdido en la infinitud. E[l]
no estaba triste al embarcar: es el mar el que le angustia, el que le pone triste. Surge el temor, a su pesar, como vamos a ver. Y viene la lucha, el intento, [o]
deseo al menos, de escape.

---

[20] Siempre que Juan Ramón se refirió a las causas que motivaro[n]
ese libro, tan distinto a los anteriores suyos, que es el *Diario,* destaca sobre todo la influencia del mar, la impresión que el mar l[e]
produjo. Así en la carta citada a Cernuda, de 1943, escribe: "L[a]
coincidencia de amor y mar grande, y América, obró el prodijio. E[l]
oleaje, la comunicación de cielo y mar, la nube, le dio a mi sentimiento y a mi pensamiento libres mi verso desnudo". Y en 195[2]
decía a Gullón: "Cambié el título porque quería destacar la importancia que en su gestación tuvo la presencia del mar" (*Conversaciones...,* pág. 84).

Si él no hubiera tenido entonces el propósito, del que ya había dado pruebas, de anotar con rigor sus impresiones, de desentrañar éstas, probablemente esos senimientos que le asaltaban, esos temores, al principio oscuros, inoportunos, que el mar despertaba en él, hubieran quedado en la penumbra de su conciencia sin llegar a manifestarse del todo, pues implicaban una angustia que él estaba muy ansioso de superar, de olvidar. Mas el autor del *Diario*, dado el carácter de su nueva poesía, queda como prendido de lo que ve, fascinado por el mar y como *obligado* a captar, a registrar lo que pasa, como negra nube, por su alma. Y de este modo es como creo que el nuevo estilo contribuyó a que el *tema* —un aspecto importante de él— alcance en el *Diario* una claridad, una importancia y hondura que hasta entonces no había tenido. Y a la inversa: el *tema*, con toda su hondura, el mar con todo lo que en él despertaba, daban a ese nuevo estilo el fondo, la sustancia de que precisaba.

EL "TEMA" EN EL "DIARIO" Y EN "PIEDRA Y CIELO"

Juan Ramón salió de Madrid el 20 de enero de 1916 y embarcó diez días después. Se casó en Estados Unidos y volvió con su esposa a Cádiz el 20 de junio. El 1 de julio ya estaban ambos en Madrid. El *Diario*, en prosa y verso, fue escrito casi todo durante el viaje: en España a la ida y a la vuelta, y, la mayor parte, en América y en el mar. Aquí nos vamos a ocupar sólo de las secciones II y IV, casi todo verso, que son las escritas en el mar, pues es en ellas donde aparece con más claridad e insistencia el *tema*.

"Soledad", el poema XXIX del *Diario* (pág. 44), está fechado el 1 de febrero, y es el tercero de la sección II, titulada "El amor en el mar". Un título éste, por cierto, que no corresponde muy bien al contenido de dicha sección. Los sentimientos que el mar en él despierta, aunque no del todo explícitos en "Soledad", son en esencia los mismos que vamos a encontrar en otros varios poemas de este libro. Dice así:

> En ti estás todo, mar, y sin embargo,
> ¡qué sin ti estás, qué solo,
> qué lejos, siempre, de ti mismo!
>
> Abierto en mil heridas, cada instante,
> cual mi frente,
> tus olas van, como mis pensamientos,
> y vienen, van y vienen,
> besándose, apartándose,
> en un eterno conocerse,
> mar, y desconocerse.
>
> Eres tú, y no lo sabes,
> tu corazón te late y no lo siente...
> ¡Qué plenitud de soledad, mar solo!

En la segunda estrofa se menciona ese ir y venir, besarse y apartarse de las olas en cuya contemplación el poeta debió de quedar absorto largo rato. Por ahí empezó él seguramente. Más tarde vendría esa peculiar impresión a que se alude oscuramente —como si fuera impresión vaga, descubrimiento que trataba él de fijar— en los tres primeros versos ("En ti... / sin ti... / lejos, siempre, de ti"), y que se expresa sobre todo en la estrofa final: el mar no es consciente de sí, no sabe que es él, no tiene alma.

Ver, sentir así el mar —inmenso, envolviéndole, ciego y mudo—, es sentir la propia alma perdida, vana, como a punto de naufragar. La propia conciencia, sólo un levísimo rayo de luz, presagia el instante en que será absorbida en esa gran inconsciencia de la naturaleza, del mar. Hay temor implícito en esa mirada al mar, y también admiración, que manifiesta en el verso último: "¡Qué plenitud de soledad, mar solo!" Y es que el mar, al contrario que él, no necesita de nadie en su soledad. Es fuerte, indiferente, y es eterno.

En los poemas siguientes se van poniendo de manifiesto, con toda claridad, los sentimientos varios que arrancan de esa primera visión del mar, a menudo luego repetida. El día 4 de febrero, en un poema (XXXVII, pág. 52) que empieza "Los nubarrones tristes / le dan sombras al mar", la angustia, antes latente, se centra en una palabra:

> ¡Nada! La palabra, aquí, encuentra
> hoy, para mí, su sitio,
> como un cadáver de palabra
> que se tendiera en su sepulcro
> natural.
> ¡Nada!

Al día siguiente, en "Sol en el camarote" (pág. 53), hay una reacción. El sol por un lado y el amor por otro han hecho que, pasajeramente al menos, se disipe la pesadilla de los días anteriores; que se olviden los negros pensamientos que fueron "como convalecencias / de males infantiles". Ahora triunfante (pero sin mirar de nuevo al mar) escribe:

> Amor, rosa encendida,
> ¡bien tardaste en abrirte!

La lucha te sanó,
y ya eres invencible.

Sol y agua anduvieron
luchando en tí, en un triste
trastorno de colores...
¡Oh días imposibles!

No se deleita ahora en pensamientos tristes. Estos
surgen a su pesar, oponiéndose a su amor, y él lucha
para ahuyentarlos. Libre de ellos, escribe en el mismo
poema, al terminar, jubiloso y confiado:

¡Amor, fuerza en su origen!
¡Amor, mano dispuesta
a todo alzar difícil!
¡Amor, mirar abierto,
voluntad indecible!

Mas él no era "invencible". El mismo día 5 de febrero, en "Mar" (pág. 55), que ya antes habíamos citado, se vuelve a sentir débil ("¡Sólo un punto!")
frente al mar, y envidia a éste ("...¡quién fuera / cual
tú..."). Envidia su serenidad sin "caídas", y sobre todo
su permanencia, esa "obstinada imagen del presente"
que es el mar. Tiene éste "frío corazón", sí, pero su
alma es "eterna".

En el poema siguiente (XLI, págs. 55-56), de la
misma fecha, vuelve a contemplar con admiración, tratando de desentrañar sus impresiones, y dice: "¡Qué
inmenso demostrarte, / en tu desnudez sola". Pero el
sentimiento es más claro en "Hastío", y sobre todo en
el poema que sigue (XLVI, pág. 60), que termina:

¡Qué peso aquí en el corazón inmenso
como el cielo y el mar;

qué angustia, qué agonía;
oh, qué peso hondo y alto!

Más adelante, el 10 de febrero, en "Niño en el mar" (pág. 64), quiere olvidar ese "mar sin fondo" que "en su loco desorden" le "trastorna"; quiere pensar en el amor, en el mar como camino que le lleva al amor; o en el niño que está a su lado, con un "corazón pequeño y puro", que es, sin embargo, "mayor que el mar". Juan Ramón, en suma, pensando en su felicidad cercana quiere olvidar la angustia.

El último poema de esta sección está fechado el 11 de febrero. Luego viene la sección III, "América del este", con muchos poemas de amor, y muchos en prosa de impresiones varias. La sección IV, "Mar de retorno", empieza con el poema CLVII, de 7 de junio. En uno, del 9 de junio (CLX, págs. 181-182), que se titula "Sol en el camarote", lo mismo que el ya citado de la sección segunda, dice confiado:

Todo es bueno y sencillo;
la nube en que dudé
de todo, hoy la fe
la hace fuerte castillo.

No se sabe si esa "nube" a que se refiere, como sombra de tristeza en su felicidad de recién casado, es nube reciente, de esos dos días primeros en su viaje de retorno, acompañado ya de Zenobia, o es nube de antes, de su viaje solitario, triste, que ahora quiere olvidar. En todo caso en el poema siguiente (pág. 183), de la misma fecha, sigue el optimismo ("Se me abre el corazón y se me ensancha / como el mar mismo..."), y sigue ahuyentando sombras ("se van monstruos terribles / del horizonte puro"). Mas al día siguiente, en otro poema "El mar" (pág. 184), vuelve a su viejo asunto: el mar indiferente, ajeno a él; un monstruo ante el cual se siente débil:

> Le soy desconocido.
> Pasa, como un idiota,
> ante mí; cual un loco, que llegase
> al cielo con la frente
> ....
> Por doquiera
> asoma y nos espanta...

Análogo es el CLXVIII, de 14 de junio (págs. 187-189). En éste el sentimiento de pequeñez, su desvalimiento ante ese mar poderoso, capaz de "levantar navíos", se expresa en una graciosa imagen: el mar como un San Cristóbal, con él, niño temeroso, al hombro:

> ...no quieres nada
> conmigo...
> ....
> te vas diciendo disparates,
> imitando gruñidos de fieras
> ....
> y te hundes hasta el pecho
> o sales, hasta el sol, del oleaje
> —San Cristóbal—,
> con mi miedo en el hombro acostumbrado
> a levantar navíos a los cielos.
>
> Me siento perdonado. ¡ Y lloro, mar salvaje...

Uno de los más bellos es "Mar despierto" (páginas 192-193), escrito al día siguiente. Sale el poeta al amanecer, "trasnochado" y "ojeroso", y le sorprende

66

ver el mar siempre ahí, siempre velando, y sin que nunca le amedrante a éste la muerte "por ningún horizonte". Y termina, con envidia de ese vigor, de esa permanencia, sintiendo su propia debilidad, su propia finitud :

> ¡Mar fuerte, oh mar sin sueño,
> contemplador eterno, y sin cansancio
> y sin fin, del espectáculo alto y solo
> del sol y las estrellas, mar eterno!

Esa *envidia*, tal ansia de eternidad, es lo que le llevará luego a dar el salto espiritual que habrá de unirle, por un instante al menos, con lo bello y grande, permanente, de la naturaleza. Y sin dejar de sentir, sin dejar de ser él, sin anularse.

Ya en "Partida", del mismo día (CLXXV, páginas 195-196), dice sentir otra vez "aquel afán, un día presentido / del partir sin razón". Lo mismo que treinta y dos años más tarde, en *Animal de fondo*, relacionaría su estado de gracia con el alma del niño aquél que fue él un día en Moguer, así ahora ese estado de expectación —presagio de lo divino— que siente, le parece también ser sólo repetición de algo ya vivido:

> Sí, sí, así era, así empezaba
> aquello, de este modo lo veía
> mi corazón de niño...
> ....
> Este era, esto es, de aquí se iba,
> como esta noche eterna, no sé a donde,
> a la tranquila luz de las estrellas.

Se trata aún sólo, como él ahí mismo dice, de una "...gana / celestial de mi alma / de salir...". Pero ése es el principio, y así no extraña que dos días después, el 17 de junio, escriba un "Nocturno" (pág. 206) que parece ya un poema de éxtasis, de logro de la paz deseada. Este poema anuncia ya claramente, a gran distancia, los de *Animal de fondo*. Su alma llena ahora el espacio, domina el mar; su alma navega al fin serena, sin temor:

NOCTURNO

Por doquiera que mi alma
navega, o anda, o vuela, todo, todo
es suyo. ¡Qué tranquila
en todas partes, siempre,
ahora en la proa alta
que abre en dos platas el azul profundo,
bajando al fondo o ascendiendo al cielo!

¡Oh, qué serena el alma
cuando se ha apoderado,
como una reina solitaria y pura,
de su imperio infinito!

Este poema es, en el *Diario*, un punto cumbre. A partir de él todo será descenso. Ya al día siguiente, en un poema que a modo de título tiene un doble signo de interrogación (CLXXXVI, pág. 209), dice, un tanto irónico, refiriéndose sin duda a ese estado de gloria que creyó haber alcanzado el día antes:

Es verdad y mentira,
hija tan sólo del instante único,
pero es verdad.
     La hace
una armonía de la tarde
y la ola,

y nace, entre la espuma y las estrellas,
como algo que no es, pero que quiere serlo,
o se quiere que sea,
y sonríe ante el alma fascinada.

Parece aquí indicar que aquella exaltación pasada,
más que éxtasis fue algo que él quiso fuese un éxtasis.
En todo caso, y éste es el inconveniente de la salvación
con tales arrebatos, cuando falta la ayuda divina, ello
es sólo fruto de un "instante único" que dura siempre
poco.

Al día siguiente, 19 de junio, escribe "Niño en el
mar" (págs. 211-212), de gran ternura. El mar amenaza de nuevo, sombrío, indiferente; y él, queriendo con-
servar su paz, no inmutarse, sonríe benévolo como son-
reiría a un niño, como si el mar fuese un niño, aunque
éste le mira con "sus ojos serios", con "dureza":

le sonrío hasta el fin de mi sonrisa,
y hasta el fin, mira el niño mi sonrisa,
serio.

Se esforzaba en mantener diálogo, comunicación
con el mar, cuando ya no podía dominarlo, para así no
sentirse solo, indefenso otra vez. Quiere, aunque sabe
que la comunicación se ha roto, mantener la ficción de
una armonía que no existe. Pero es inútil ignorar que el
mar es ciego y sordo, indiferente. Esta verdad se hace
pronto clara. El mismo día 19 de junio en el poema
"Ciego" (págs. 212-213), vuelve a sentirse solo, con
su "nada", con su "miedo":

De pronto, esta conciencia triste
de que el mar no nos ve; de que no era

esta correspondencia mantenida
días y noches por mi alma
y la que yo le daba al mar sin alma,
sino un amor platónico
....
Este miedo, de pronto...

Miedo, porque si el mar no nos ve, entonces, "no
existimos por este mar abierto". ¿No existimos? Existimos, sí; pero sólo momentáneamente. Si el mar no
nos ve ni nos oye, si el infinito no nos ve ni oye, entonces, en ese mar de eternidad ciego y sordo, somos
sólo un punto, una mirada fugaz, un grito inútil.

Y así tenemos el ciclo completo: del olvido al
descubrimiento de la inquietud, al ansia y a la salvación por salto; y luego la caída y la inquietud de nuevo. Y, finalmente, el olvido otra vez. Llega el consuelo
no por haber superado el dolor, no por haber conquistado una fe, sino por apartamiento del dolor, por dejar
de pensar, por olvido que se reviste de triunfo. El mismo día 19 de junio, la víspera del desembarco, en
"¡Ya!" (pág. 215), se tranquiliza pensando que pronto pisará tierra, que pronto apartará sus ojos de esa
destructiva fuerza natural que es el mar:

¡Oh, la tierra nos ve, nos ve... y nos piensa!
Sí. ¡Ya somos! ¡Ya soy!

No es que logre con la tierra —que aún no ha
pisado— una comunicación, una identificación salvadora, que no pudo lograr, sino momentáneamente, con
el mar: es que a la vista de tierra se desprende de esa
imagen atormentadora del mar. En tierra, luego, se
renovaría la angustia, la inquietud.

En el libro que sigue, *Eternidades,* de 1916-1917, publicado en 1918, lo que la mayoría de los poemas indican en cuanto al estado de ánimo del poeta, más que temor o inquietud es orgullo, contento de sí mismo. La sombra de la muerte cruza ante él alguna vez, como cuando escribe: "Se entró en mi frente el pensamiento negro". O, más adelante: "A veces me acomete / un momentáneo horror" [21]. Mas si piensa en la gloria literaria como consuelo, en seguida rechaza con altivez ese pensamiento, que implica una dependencia con respecto a los otros, a los "vivos", cuando él ya esté muerto. Y así dice en el poema titulado "La gloria" (CXXVII, pág. 158):

> ¿Necesité yo, acaso,
> de algún vivo en la vida?
> ¿Para qué quiero vivos en mi muerte?

Y en la segunda estrofa llega a decir que "olvido, soledad eternos" serán para él "divinos", cosa magnífica, ya que olvido y soledad fueron para él "tan gratos" estando vivo, despierto.

Si no en completo olvido, ni mucho menos, y tampoco en completa soledad, lo cierto es que retirado en su casa, encerrado con su mujer y con su nueva poesía, Juan Ramón parece contento en ese primer año de casado, olvidada ya la crisis aquélla en el mar [22]. El op-

---

21 Poemas números LX y LXXIX, págs. 82 y 104.
22 Al frente de *Eternidades* escribió Juan Ramón este lema: "Amor y poesía / cada día". Por la misma época, en diciembre de 1916, en una carta al poeta, se quejaba su amigo José Moreno Villa: "Siento decirle que no puedo verle, porque el portero me lo impidió ya dos veces. Ahora mismo vengo de su casa inexpugnable..." (Citado por PALAU DE NEMES, *Op. cit.,* pág. 204). Comen-

timismo y narcisismo es lo que domina en este libro.
En el poema XCVII (págs. 123-124), dice:

> Seré más yo, porque me hago
> conmigo mismo,
> conmigo solo,
>
> ....
>
>   Lo seré todo
> porque mi alma es infinita
>
> ....
>
> ¡Qué gloria, qué deleite, qué alegría,
>
> ....
>
> en este hacerme yo a mí mismo eterno.

En el CXXXVI (pág. 168) dice lo siguiente, que
más que corresponder a un estado especialísimo de exaltación expresa bien el estado del alma que prevalece
en el libro:

> Está tan puro ya mi corazón,
> que lo mismo es que muera
> o que cante.

Y en el que sigue, el último, se entusiasma con la
seguridad de que su palabra será "eterna", que ha de
durar cuando su lengua esté ya "en la nada":

> ¡Palabra mía eterna!
> ¡Oh, qué vivir supremo
> —ya en la nada la lengua de mi boca—,
> oh, qué vivir divino
> de flor sin tallo y sin raíz,
> nutrida, por la luz, con mi memoria,
> sóla y fresca en el aire de la vida!

---

zaba ya entonces, al parecer, la larga época de retraimiento en los
pisos de Madrid.

Esto es algo más que *consuelo* con la vida segunda de la fama. El consuelo de la fama, dejar memoria, no es quizás gran cosa, mas "con todo", como decía Manrique, es mejor que nada. Pero aquí se trata más bien de *alegría,* quizás una alegría un tanto forzada, ante ese "vivir supremo", ese "vivir divino" que consiste en ser flor sin tallo, vivir en la obra, sólo en la obra. Tal alegría no se comprende. Tal vez fuera el goce de la creación, goce al formar la flor lo que le producía alegría, no el pensar que con ella, con la obra, será recordado. En *Eternidades,* en suma, lo que domina es el contento de sí, más que el anhelo de algo, en este sentido es obra suya excepcional.

En *Piedra y cielo,* de 1917, publicado en 1919, muchos poemas son de asunto y tono parecidos a los del libro anterior, como "La obra" [23], donde se muestra de nuevo muy satisfecho de sí, confiado:

Voy y vengo
por mi biblioteca,
donde mis libros son ya luz...
....

hablo, sonriente, con los que me ignoran, porque tengo
en círculo distante, lo infinito.

Característico de ese sentimiento de plenitud, que no es éxtasis, sino satisfacción no oscurecida por temor alguno o desencanto, es el poema, cercano ya al final del libro (págs. 115-116), que dice, en parte:

[23] *Op. cit.* (ed. Losada, 1948), pág. 33. Las citas posteriores de esta obra se toman de esta edición.

>   Un sol de dentro alumbra ahora
>   mi mediodía, totalmente.
>   ....
>   No hay ya fondo sin fin...
>   ....
>   ¡A todo llega el alma!
>   ¡Ya no hay que partir, pues está en todo!
>   —El niño ya no tiene
>   miedo a la sombra—.

Y también este otro (págs. 133-134) en que acep-
ta gustoso la muerte:

>   Al abrir hoy los ojos
>   a la luz, he pensado
>   —por vez primera—
>   con gusto —¡corazón mío!— en la muerte.
>   ....
>   Vida segunda, ésta,
>   tan serena, tan llana,
>   ....
>   ...Ahora, ¡qué tranquilo
>   recomenzar la senda con cimiento
>   firme, hacia todo,
>   ...o, es lo mismo, hacia nada!

Su vida "tan serena", "tan llana", le ayudaría
lograr ese estado de euforia; su mujer sin duda también; pero la causa principal es, creo yo, y él lo indi
en este mismo poema, como en muchos otros,
satisfacción que le produce su obra, el contento q
siente con su nueva poesía, "cimiento firme". Ha
como él dice en líneas anteriores, en el mismo poem
"madurez en la frente"; y entusiasmo al verse "con
conciencia toda / en todo...". Se siente lleno de po

sía, la siente en todas partes y se sabe capaz de expresarla. Por eso su vida se le presenta como una carrera que, dice él con exaltación, habrá de llevarle nada menos que "hacia todo". Y cuando, al escribir esto, se le ocurre que "todo" quizás sea simplemente "nada", afirma aún, en su arrebato, sin inmutarse, que "es lo mismo"; es decir, que da lo mismo, no importa. Pero *todo* o *nada,* para el interesado, no es lo mismo, claro es, ni muchos menos, como Juan Ramón supo ya antes y volverá a saberlo muy pronto.

Otros poemas, en el mismo libro, tienen tono diferente. En la sección segunda, titulada "Nostaljia del mar", un poema que se llama significativamente "Nocturno soñado" (págs. 80-81), recuerda aquel especial estado de alma, éxtasis casi, podríamos decir, de que hablaba en el "Nocturno" del *Diario* ("Por doquiera que mi alma / navega..."), y dice ahora, con nostalgia, evocando aquel excepcional momento: "Sí, parece / que es el alma la sola viajera...".

Pero en relación con el *tema* cuyo desarrollo estamos siguiendo, son interesantes en este libro, sobre todo, un poema del principio y varios que se encuentran ya al final. Se habla en ellos de un extraño afán: ansia de comunicación con la belleza, de identificación con ella; ansia de *entrar* en ella. No es ya querer *ser como,* o querer que el mar le vea y oiga, sino querer *ser con, entrar en* la cosa contemplada, en la belleza, en la naturaleza. Decía en el poema VII (pág. 17):

> ¡Qué inmensa desgarradura
> la de mi vida en el todo,
> por estar, con todo yo,
> en cada cosa;

por no dejar de estar,
con todo yo, en cada cosa!

Más explícito es "Nostaljia", ya al final (pág. 135).
que dice:

¡Hojita verde con sol,
tú sintetizas mi afán;
afán de gozarlo todo,
de hacerme en todo inmortal!

Poco más adelante, otro poema empieza: "¡No estás en ti, belleza innúmera..." (pág. 137). Y acaba:
"...estás en mí, que te entro / en tu cuerpo mi alma
insaciable y eterna!".

Y el mismo afán de ser en todo, de ser él todo
y todo en él, se muestra luego, cuando dice en otro
poema: "¡Todo lo vivo y por vivir en mí; yo / todo
lo vivo y por vivir..." (pág. 140).

El más logrado de los de esta serie es quizás el
poema (pág. 142) cuya primera estrofa ya citamos al
comenzar este estudio, y que dice así:

Eternidad, belleza
sola, ¡si yo pudiese,
en tu corazón único, cantarte,
igual que tú me cantas en el mío,
las tardes claras de alegría en paz!

¡Si en tus éxtasis últimos,
tú me sintieras dentro,
embriagándote toda,
como me embriagas toda tú!

¡Si yo fuese —inefable—,
olor, frescura, música, revuelo
en la infinita primavera pura
de tu interior totalidad sin fin!

No hay aquí ese contento de sí, algo antipático, que vimos anteriormente. Hay una viva inquietud ante la belleza; ansia de belleza, de ser con ella, de eternidad.

A un cierto éxtasis, quizás sólo un deseo, se refiere el poema penúltimo, que sigue al que acabamos de copiar, "Tarde" (pág. 143), y que es muy breve:

> ¡Cómo, meciéndose en las copas de oro,
> al manso viento, mi alma
> me dice, libre, que soy todo!

No dice aquí ya que quiera ser todo, sino que se siente todo: "soy todo". Lo dice emocionado al ver las copas de oro, movidas por el viento, y sentir como si su alma —fuera de sí— estuviera ya en ellas, fundida con las ramas: como si su alma fuera ya las ramas. Es éste uno de esos momentos de éxtasis pasajero, vivido o soñado, como la instantánea realización de un deseo profundo, que a veces encontraremos en su poesía, antes de 1948, y sobre todo a partir de 1932, como vamos a ver.

En todo caso al llegar a este poema, como al anterior, al acabar *Piedra y cielo,* nos encontramos con lo que es núcleo del tema central: un ardiente, irracional deseo, de muy honda raíz, de trascender hacia lo bello, eterno.

EL "TEMA" EN "POE-
SIA" Y EN "BELLEZA"

En 1923 publicó Juan Ramón *Poesía* y *Belleza,* obras gemelas que contienen poemas de los años 1917-1923 y que vienen a cerrar la que podríamos llamar primera fase de la segunda época[24]. Habrían de pasar luego muchos años antes de que aparecieran reunidas en un volumen nuevas poesías suyas.

En esas dos obras están "representados", nos dice el autor, nada menos que quince diferentes libros[25]. Po-

---

[24] *Poesía (En verso) (1917-1923)* y *Belleza (En verso) (1917-1923)*. En ambos libros se lee, al pie de la portadilla: "Juan Ramón Jiménez y Zenobia Camprubí de Jiménez, editores de su propia y sóla obra, Madrid, 1923". Eso de la "propia y sóla obra" es muy propio del Juan Ramón encerrado y altivo, maniático y algo cómico, de esa época. *Poesía* se acabó de imprimir el 18 de agosto de 1923 y *Belleza* el 25 de septiembre. Las citas de estas obras se toman de estas ediciones.

[25] En una bella página de nombres, en cada obra, puede verse la lista de esos quince "libros", que probablemente no existieron nunca. Sabida es la manía de Juan Ramón, sobre todo a partir de esta época, no sólo de corregir, de "revivir" a menudo sus viejos poemas, sino de agrupar y reagrupar, rotular y subrotular en cada oportunidad su Obra Toda, pasada y futura. Y también la manía de hacer creer que ésta era más abundante de lo que realmente era. En 1953 decía aún a R. Gullón: "He publicado —añade— treinta libros, digamos. Pues bien, tengo original inédito para unos ciento cincuenta; muchos de prosa... Tengo una capacidad de creación tan grande y tan sostenida que no me ha dejado tiempo para revisar lo creado... me desborda la producción de cada día... No sé cuantos poemas habré escrito durante mi vida: tal vez seis mil..." (*Conversaciones...*, pág. 82). Un mes después daba a la misma persona, según ya vimos, el número, seguramente más cercano a la realidad, de *dos mil poemas*: mil en la primera época y mil en la segunda. Después de 1923, hasta su muerte, en 1958, publicó, según mis cálculos, nuevos, a lo más, cerca de 300 poemas. No sabemos, claro, cuántos escribiría. Pero al parecer no rompía muchos y no ha dejado tampoco muchos inéditos. Dice Gullón, que sabe mejor que nadie lo que Juan Ramón dejó, en el epílogo de las *Conversaciones...*, refiriéndose a la Sala donde se guardan en Puerto Rico sus papeles: "Se conservan en ésta muchos papeles del poeta y de su mujer. Autógrafos en abundancia; textos a máquina luego corregidos a mano; borradores de cartas y de poemas, *éstos por lo general publicados*; entre las notas en prosa hay bastantes inéditas... *No hay libros de poesía inéditos*, y los anunciados como tales se encuentran casi siem-

ría, pues, esperarse una gran variedad de asuntos, poemas de tono muy diverso. Pero no hay tal cosa. En ada uno de esos dos libros, la mitad aproximadamente de todos los poemas, es decir, unos cien en total, laramente tienen como base el *tema* en algunos de us aspectos, sobre todo en los tres siguientes aspectos: *la muerte,* que el poeta se esfuerza ahora casi empre en aceptar; *la obra,* en la que se deleita, y que e promete una cierta pervivencia; y ese rapto, o ana de rapto, ese *trascender* del alma hacia lo bello y atural, eterno. Ahora bien, dentro de cada una de stas tres series de poemas (series establecidas por nosotros, aunque él no los agrupa de este modo) hay mucha repetición: no sólo el mismo asunto, la misma npresión o pensamiento, sino el mismo tono a menudo. Y además, a veces recuerdan a otros, que ya heaos visto, de libros anteriores.

Adelantando una opinión, que trataré luego de jusficar, creo se puede decir que tanto en *Poesía* como n *Belleza,* en los poemas referentes al *tema,* de los uales vamos aquí a ocuparnos, falta, en general, arreato, sorpresa, emoción honda; y sobran, por el conrario, meditación sobre impresiones anteriores y aluones a experiencias que no se nos dan siempre en ivo. La obra muy a menudo se refiere a la Obra. El oeta, de espaldas a los hombres, parece hablar sobre odo para sí, orgulloso. Esta actitud en su poesía se elaciona sin duda con su actitud en la vida, con su oledad, con su modo de ser; un asunto éste del cual emos de ocuparnos más adelante, págs. 99 ss.

---

re en esqueleto o constituidos por poemas procedentes de otras bras" (pág. 179).

Demasiado satisfecho de sí mismo, en estos dos libros, Juan Ramón no siempre nos transmite sus visiones, sus emociones. Le sentimos a solas, luchando consigo, queriendo bastarse, queriendo encontrar en su ocupación bella —la Obra— plena justificación y alegría; y tratando de ahogar las dudas, los fantasmas que constantemente aparecen a su lado [26]. Hay, claro es, poemas muy hermosos; y ninguno de ellos, por otro lado, es vulgar. Pero más que límpidos parecen esos poemas, a veces, "perfectos"; poemas muy corregidos, repensados y retocados, con versos apuntalados por innumerables guiones y dobles guiones.

Sus ideas, sin embargo, en cuanto a lo que debe ser la poesía, en cuanto a la limpidez del estilo como medio de transmitir el contenido, son en esta época las mismas ya expresadas en *Eternidades* y en el *Diario*. Por la época en que debió de escribir muchos poemas de *Poesía* y de *Belleza*, hacia 1920, escribía en las notas que van al final de la *Segunda Antolojía:* "Perfección —sencillez, espontaneidad— de la forma, no es descuido callejero de la forma, ni malabarismo de arquitecto barroco y empachoso... sino aquella exactitud absoluta que la haga desaparecer, dejando existir sólo el contenido, 'ser' ella el contenido". Y a esta norma de "exactitud absoluta" es él, en principio, fiel; aun

---

[26] Dice GUILLERMO DÍAZ-PLAJA (*Op. cit.*, pág. 274) refiriéndose a *Poesía:* "Esta etapa de la poesía juanramoniana se parece —tengamos el coraje de decirlo— a una atmósfera de cima, pura pero irrespirable. Su contenido general se ahonda de tal suerte en el monóloquio mental que el hilo conductor que fatalmente debe unir la mente del autor a la del recipiendario se adelgaza de tal manera que, a menudo, se quiebra". Y poco más adelante (pág. 276) agrega: "Y cabe hablar también de un conceptismo cuya dificultad estriba en poseer una clave personal".

que en ocasiones un retoque excesivo destruya en parte, diga él lo que diga, la sencillez y espontaneidad. Pero todo depende del contenido. Quizás la forma se enturbia y complica a veces, oscureciendo más que revelando, porque el contenido es más intelectual, dialéctico, que emocional.

Y ahora veamos algunos de los poemas de estos dos libros, empezando por los de *Belleza*.

El poema número 19, titulado "5 y 1/2 de la mañana" (págs. 28-30), que recuerda a algunos de los poemas del mar del *Diario*, es un redescubrimiento, a la luz incierta del amanecer, de la nada:

> Tierra,
> ¡te cojimos tu embuste en tu traslumbre,
> en tu trasombra —antes
> de que saques el sol para cegarnos,
> ya sin la venda azul llena de estrellas—!
>
> Por toda tú,
> transparente de engaño,
> se ve lo negro de esa nada

En los poemas del mar era la indiferencia, la *extrañeza* del océano lo que le hacía sentirse perdido, perecedero, y le llevaba a descubrir la nada y la muerte. Aquí, a la inversa, es al descubrir el "embuste" del mundo, la nada, cuando ve la tierra como antes veía el mar: lejana, extraña, separada de él. Y así dice luego:

> ¡Soledad! ¿Soledad?
> ¡No, Tierra, no eres nada nuestro,
> no somos nada tuyos;
> eres estraña, estraños somos; solos somos, sola eres!

81

Obsérvese que al " ¡ Soledad ! ", tan natural, sigue un " ¿Soledad?" incomprensible. ¿Por qué la interrogación? ¿Es, acaso, que no cree en la soledad? ¿Es que no quiere aceptarla? De todos modos despega ese " ¿Soledad?" de lo que sigue o precede, y destruye en parte la efectividad del poema. Pero lo más curioso es que, en el mismo poema, otras varias veces agrega, caprichosamente al parecer, signos de interrogación. Dice, por ejemplo, después de las líneas que hemos citado :

Y eso otro que nos acecha, feo,
desde la infinita estrañeza solitaria,
....
¿qué más podría hacernos que... ¿matarnos?
¿que vivirnos?

Lo que aquí dice, es consecuencia de lo anterior: descubierta la nada, que aparece en relación con esa "estrañeza solitaria" que él siente, surge el temor, la amenaza de algo (eso que "nos acecha, feo") que no es sino la muerte. Es natural entonces, queriendo aliviar esa angustiosa sensación, decirse : ¿Por qué tanto temor? ¿Qué más que morirnos nos puede pasar? O, como él dice, eso que acecha "¿qué más podría hacernos que... ¿matarnos?". Hasta ahí todo es claro. Pero lo que no se comprende es el verso siguiente, ese "¿que vivirnos?", que debió meter más tarde, en el retoque, para hacer juego con el "¿matarnos?" y para oscurecer toda la cosa.

Y así otras veces, en el mismo poema, pues también dice : "¿Qué es entonces el miedo? ¿Que tenemos?". Posiblemente escribió primero : "¿Qué es entonces el miedo que tenemos?", lo que es bien natural, después de lo que precede; mas pareciéndole demasiado simple decidió hacer de una dos interrogaciones. Al escribir "¿Que tenemos?" pone en duda, claro es, si tiene en verdad miedo o no. Y esa duda quizás correspondía, sin embargo, a la realidad. Debió él pensar si en verdad sentía él esa mañana el miedo que decía. Y es que la experiencia del descubrimiento de la nada al amanecer, a que se refiere este poema, debió de consistir sobre todo en el recuerdo de la angustia de otro día. Y tal vez más que ahondar en el terror y soledad que sintiera quería borrar, disimular éstos. En todo caso se esfuerza por dejarlo todo en pregunta, indeciso, con lo cual se aumenta la rareza del poema, pero no su belleza o claridad, o su comunicabilidad. Ya al comenzar hay unas interrogaciones incomprensibles. Seguramente fue en el retoque cuando convirtió en pregunta estas afirmaciones previas:

> De pronto sólo un mal sabor
> de... ¿boca?
> ¿El amanecer?
>   —¿Somos
> el primer hombre?—

El poema 63, "La muerte" (pág. 68), es una aceptación gozosa, no ya resignada, de la muerte, tras una vida plena. Es en verdad un recordar la muerte queriendo sólo anularla, verla como no-muerte, olvidarla. Juan Ramón, como muchos otros poetas, ha conocido a veces un momento en que el goce de lo bello, el entusiasmo por la vida hace que se borre, que quede vencido el temor a la muerte. Pero eso es bien distinto a decir, como aquí, a pensar, tras una mirada llena de

embeleso y orgullo a su vida dedicada al conocimiento
y a la persecución de la belleza:

> ¡ Vida, divina vida!
> Cada hora, un deleite
> nuevo...
> ....
> Y luego, al fin, —¡ qué gozo!—, en su momento justo,
> la suprema delicia, el cumplimiento
> —¡ anochecer, eterno amanecer!—
> del secreto infinito de la muerte.

Se comprendería el gozo, si hubiera para él también
un eterno retorno. Lo malo es que esa constante renovación ("¡ anochecer, eterno amanecer!") se refiere sólo a la naturaleza, en total, no a cada hoja, a cada
individuo en particular. Y siendo así no se ve qué
"delicia" puede haber en el cumplimiento "del secreto
infinito de la muerte". Se puede *sentir*, irracionalmen-
te, una identificación con el todo, y así sentirse uno
salvado, momentáneamente, como a él luego le ocurriría. Pero no tiene sentido, no es posible *pensar* esto
sin caer en el absurdo. Es decir, no es posible, sin
caer en el absurdo, pensarlo como "delicia".

Más bello y más auténtico, expresando una más
honda verdad sentida, me parece este otro poema sobre
la muerte, el 118, "Cenit" (págs. 114-115), en el que
dice:

> Yo no seré yo, muerte,
> hasta que tú te unas con mi vida
> y me completes así todo;
> hasta que mi mitad de luz se cierre
> con mi mitad de sombra

> —y sea yo equilibrio eterno
> en la mente del mundo:
> unas veces, mi medio yo, radiante;
> otras, mi otro medio yo, en olvido—.

En realidad este poema es tanto uno de los que se refieren a la *muerte,* como uno de los que se refieren a la *obra,* entre los cuales suele haber, claro es, bastante relación. Piensa en la parte de él, su espíritu, que quedará "en la mente del mundo"; piensa en su alma ("mi medio yo, radiante") encerrada para siempre en la obra; mientras que el ser vivo que él fue, anulado por la muerte, la parte perecedera ("mi mitad de sombra"), estará en olvido.

El 123, "Otoño corporal" (págs. 118-119), empieza diciendo:

> Nada me importa esta muerte
> que es la caída del cuerpo.

Y pensando luego en otra muerte más lejana e indeterminada, la de la fama, agrega: "—Qué alegría no saber / qué muerte será mi muerte / ni en qué siglos...". Y termina insistiendo en que es un "alegrón" ignorar el "morirse verdadero".

Yendo ahora a algunos de los muchos poemas que en *Belleza* tratan de la Obra, vemos el primero del libro (pág. 13), que empieza:

> Sé que mi Obra es lo mismo
> que una pintura en el aire...

Y poco después, con pasión:

> —No, no; ella, un día, será
> = borrada = existencia inmensa...

Sólo, para mí, es oscuro —quizás esté agregado a posteriori— ese "borrada", entre dobles guiones.

Más conocido (y recordando uno anterior, de la *Segunda Antolojía*, ya mencionado, "A la luna de arte") es el número 17 (pág. 27), que explica esa afanosa dedicación de nuestro poeta a su trabajo:

> ¡ Crearme, recrearme, vaciarme, hasta
> que el que se vaya muerto, de mí, un día,
> a la tierra, no sea yo...
> ....
> ¡ Y yo, esconderme
> sonriendo, inmortal, en las orillas puras
> del río eterno...

Es sencillo, apasionado, lo que aquí él *se dice a sí mismo*. Este poema, como otros suyos, encierra un sentimiento difícilmente comunicable. Tiene más bien el carácter de anotación, para sí, en un diario íntimo. Interesante, claro es, a pesar de todo, si nos interesa el autor; pero no si ese tipo de anotación se repite mucho. Hay también en este poema, cierto es, un sentimiento universal, compartible: el ansia de inmortalidad. Pero el énfasis está en lo autobiográfico, en lo personalísimo, y no en lo universal.

El número 27, que se llama "La muerte" (página 36), trata, de nuevo de su exaltación al pensar que ha de ser recordado por su obra: "Pero morir es viajar, / ...—recordarte sería acompañarte—, / ...vivo tú, vivo tú, vivo y ardiente".

El 65, "Mar, obra, aire" (págs. 69-70), tiene el mismo asunto ("Obra, ola leve e infinita, / ...Nada derrumbará ni aplastará / tus jigantescas rosas diminutas"). Y en el mismo poema se refleja su vida retirada, su hostilidad hacia ese mundo vulgar que le rodea y le perturba, pues dice, refiriéndose aún a la Obra:

> ¡Firme delicadeza
> de instantes permanentes,
> que habrán de resistir...
> ....
> el traqueteo y el silbido,
> la vociferación y el golpetazo,
> el eco y el empuje
> del mundo éste de los feos hombres!

El 110, "La obra" (págs. 108-109), es un juego basado, otra vez, en la consideración de ese "yo" suyo que ha de quedar en sus escritos. Empieza:

> ¡Adiós, tú, —yo, yo mismo—, que te quedas,
> —que me quedo, ¡qué bien!—, en tierra firme...

El "¡qué bien!", como otras exclamaciones, grititos, rabias o ternuras que a veces mete en sus versos, resulta un tanto bobo. Y un endiosamiento algo cursi se ve al final, donde sigue el juego:

> ¡Con qué sonrisa,
> —como en un trueque májico de flores—,
> nos separamos, el mortal —yo—, el padre,
> de mí, el hijo inmortal!

El último poema del libro, 127, "La obra" (página 122) empieza por estos bellos versos, a base de contrastes, como es frecuente en él:

> Día tras día, mi ala
> —¡cavadora, minadora!,

= ¡qué duro azadón de luz!—,
me entierra en el papel blanco...

Y acaba con estas dos palabras: "¡volaré refigurado!".

Son numerosos también, entre los poemas que se refieren al *tema*, los que tratan del escape del alma hacia lo bello. El número 14, titulado "21 de octubre" (pág. 24), es muy breve y simple, y recuerda uno que ya vimos de *Piedra y cielo*. Dice así:

¡No sois vosotras, dulces, bellas ramas
rojas, las que os mecéis
al viento último; es mi alma!

Aquí la identificación con el objeto externo bello es completa: las ramas *son* su alma, su alma está en las ramas. Pero quizás es demasiado simple el poema para poder comunicar la emoción contenida en la experiencia. Seguramente se refiere, sin embargo, a una experiencia concreta (por algo el título es una fecha exacta).

En el 47, "Plenitud" (págs. 54-55) dice en los tres primeros versos:

¡Qué dulce la hora fresca y gris,
llena de olores húmedos y siseo de pájaros,
después de conseguida el ansia toda!

Y en los cuatro versos que siguen, finales, se deleita al ver que "se truecan plenas, / sonriéndose... / vida y muerte", es decir, que en ese momento de plenitud no importa la muerte. Se refiere, pues, a un cierto éxtasis, como indica claramente el verso "después

de conseguida el ansia toda", a un recrearse en la paz
conseguida.

En el 54, "Canción" (pág. 60), reaparece el pájaro
que canta, como a menudo ocurre en los poemas que
se refieren al trascender del alma, a la identificación
con lo bello natural. Dice en la primera de las dos estrofas:

> Arriba canta el pájaro
> y abajo canta el agua.
> —Arriba y abajo,
> se me abre el alma—.

No a plenitud, a la unión lograda, sino a la muy
humana y poética espera de "lo inefable" y del "misterio", al presagio ("promesa múltiple... / imposible
afán..."), se refiere el poema 50, "Posprimavera" (páginas 64-65), que empieza bellamente con estos dos
endecasílabos y un alejandrino:

> ¿Qué ser de la creación sabe el misterio:
> el pájaro, la flor, el viento, el agua?
> ¡Todos están queriendo decirme lo inefable...

El número 107 se llama "Estasis" (pág. 106), y
dice sólo:

> ¡Hoja verde
> con sol vívido;
> carne mía
> con mi espíritu!

Parece esto más bien una comparación con la hoja:
la materia de la hoja, su "carne"; el sol en ella, el
"espíritu". Mas él alude a algo más: a una identificación, a un éxtasis. De todos modos, con tan esca-

89

sos medios, no comunica aquí el "éstasis" que sintiera.

Y, por último, en el 112, "Auroras de Moguer"
(pág. 110), vuelven los pájaros, en el recuerdo. Aunque
no haya aquí éxtasis, ni huida siquiera del alma hacia
ellos, se revela, me parece, el remoto origen de ese
asunto del pájaro que canta, libre, en la arboleda. Fue
también de niño cuando debió de empezar a sentir el
encanto del paisaje; a percibir esa belleza, fuera de él
que siempre luego anhelaría:

> No vi cielo más alto,
> ni viento más alegre que aquel viento rosa,
> contra aquel chopo grande...

Y cuando recuerda los pájaros aquéllos de Moguer,
se acerca ya mucho en el ritmo del poema a "Criatura
afortunada", de *La estación total*, poema del que más
adelante nos ocuparemos:

> lleno de pajarillos que no se iban,
> riendo interminablemente,
> gozando sin parar, cantando
> en una embriaguez de sombra y luz,
> cantando...

No hay asunto que Juan Ramón haya tocado más
veces, de un modo siempre análogo, que éste del pájaro cantor entre las ramas.

En *Poesía*, donde los poemas referentes al tema
son más numerosos aún que en *Belleza*, se encuentran
los tres mismos grupos de poesías que dijimos —muerte, obra, escape— y que acabamos de ver. La más

nutrida de estas series, y seguramente la que contiene los mejores poemas, es la tercera.

Empecemos por los de la muerte. El número 20 (pág. 28) es muy breve. En él se lee: "La tierra se quedó en sombra; / ...y yo pensaba en la muerte". No hay aquí consuelo, aunque tampoco desesperación. En cambio en el 32 (pág. 36) responde a su temor, a la inquietud que la idea de la muerte le produce, acogiéndose otra vez —queriéndose acoger— a la idea de que morir no importa, tras una vida plena:

> ¿Nada todo? Pues ¿y este gusto entero
> de entrar bajo la tierra, terminando
> igual que un libro bello?

En el 40 (pág. 46), viene a decirnos, sin embargo, que es inútil pensar en falsas escapatorias:

> Fue lo mismo
> que un crepúsculo inmenso de oro alegre,
> que, de repente, se apagara todo,
> en un nublado de ceniza.

> —Me dejó esa tristeza
> de los afanes grandes, cuando tienen
> que encerrarse en la jaula
> ....
> Le lloré, le obligué...
> ....
> ¡Y aquí estoy, vivo ridículo, esperando,
> muerto ridículo, a la muerte!

El 56 (pág. 58) es como una súplica, expresión de su deseo de vencer la muerte, el temor: "Muerte, ¡ si tu enterrarnos / no fuese abismo duro y seco...". Un cierto consuelo encuentra pensando, en otra ocasión, que "Morir es sólo / ...ser castillo inexpugnable / para los vivos de la vida" (número 61, pág. 62). En el 123, llamado "Madre" (pág. 113), resulta que esa madre es la nada. Pero aun así encuentra él, o quiere encontrar, un extraño consuelo:

¿Todo acabado, todo,
el mirar, la sonrisa;
....
¡No, yo sé, madre mía,
que tú, nada inmortal, un día eterno,
seguirás sonriéndome, mirándome
a mí, nada infinita!

Pero el más bello y revelador de este grupo es, quizás, el 126 (págs. 114-115). Muestra claramente que lo que él quiere, sobre todo, es librarse del temor. La muerte no es lo suyo propio, sino la vida —su vida—, el goce de lo bello, la Obra. La muerte es sólo sombra en esa vida, la amenaza al fondo que convierte en vana su "vida plena", y pone "entre nudo y nudo", entre uno y otro momentos luminosos, "tedio y desierto". Y así suplica al comenzar:

Lazo que atas, fuerte, mi vida con la vida,
¡ata mi vida, cuando sea
—sin aflojarte nada—,
de pronto, fuerte, con la muerte!

¡No vayas deshaciéndote,
desligando mi vida de la vida
—abriendo una tristeza de acabar...

Pasando ahora a los que se refieren a la Obra, el número 46 (págs. 50-51) tiene cierta relación con el anterior. Suspira pensando en el día en que mire sin

temor el mar —la muerte—, y ello ocurrirá tan sólo
cuando haya vaciado su alma en la Obra, y sólo los
"huesos míos" queden para la muerte:

> ¡Ese día, ese día
> en que yo mire al mar —los dos tranquilos—,
> confiado a él; toda mi alma
> —vaciada ya por mí en la Obra plena—
> segura para siempre...
>
> ....
>
> ¡Ese día, ese día
> en que la muerte —¡negras olas!— ya no me corteje

Diferente es el 60, "Libertador" (pág. 61). Se refiere a la Obra, pero no habla de ser eterno, sino de su
esfuerzo por crear belleza, de sus dolores de carpintero
poético ("...mis manos sangrientas / ...que tienen que
separar, / que soportar, que rajar, / hasta sacar la
sonrisa, / la florecilla, la estrella"). Aparece aquí ese
Juan Ramón de que hablábamos y aun hablaremos:
narcisista apasionado, sacerdote de lo bello en su ha-
bitación de corcho. Empieza:

> ¡Con qué dificultad, tiempo,
> te voy robando tus joyas
> —¡tantas joyas, tantas!—,
> tus silencios —entre carro
> y grito, entre bailoteo
> y luz agria!—
>   ¡Cómo brillan
> sobre mis manos sangrientas...

En el 70 (págs. 70-71) piensa en las tardes futuras
en que, en "bellas ciudades", en "librerías de domin-
go", su Obra atraiga "los ojos solitarios / de algún

paseante ardiente y retraído". En el 117 (págs. 108-109), vuelve al viejo asunto que resume en los dos primeros versos: "Al lado de mi cuerpo muerto, / mi obra viva". Y a la obra y a la muerte se refiere también el último poema del libro, 129.

En los poemas del tercer grupo —escape o ansia de escape, identificación con lo bello— aparece repetidamente el pájaro que canta en la enramada. Aunque sin duda pertenece a esta serie, una nota especial tiene el primero del libro. Dice así:

> Alrededor de la copa
> del árbol alto,
> mis sueños están volando.
>
> Son palomas coronadas
> de luces puras,
> que, al volar, derraman música.
>
> ¡Cómo entran, cómo salen
> del árbol solo!
> ¡Cómo me enredan en oro!

Lo que da un aire extraño a este poema es la segunda estrofa, exquisita y barroca. Pero lo más bello y vivo está en las estrofas primera y tercera, en esos versos *simples* en que expresa su experiencia honda, la emoción alguna vez sentida, que ahora revive: su alma, encantada, está con los pájaros, *es* los pájaros (están volando sus "sueños"; las aves entran y salen del árbol y le "enredan" en oro...).

En el número 13 (pág. 22) no es tan clara la identificación, pues habla tan sólo del eco del canto en él:

> ¡Cómo, cantando, el pájaro,
> en la cima de luz del chopo verde,

al sol alegre de la tarde clara,
me parte el alma, a gusto, inmensamente en dos...

El 66 (pág. 65) es diferente, aunque contiene los mismos elementos. Orgulloso, confirma él su vocación hacia lo alto y bello. Dice la primera estrofa:

> ¡Esta es mi vida, la de arriba,
> la de la pura brisa,
> la del pájaro último,
> la de las cimas de oro de lo oscuro!

Muy bello es el 102, "Muy tarde" (págs. 97-98). No hay aquí tampoco identificación sino nostalgia, envidia, conciencia de su limitación, pues mientras el pájaro, que pía a la luz en la dorada copa, atraviesa "luces májicas", el corazón del poeta es sólo parte "del fondo resonante", de esa "sombra de abajo" en que el canto resuena como en un pozo "de verdor y silencio". (En la segunda parte de esta obra haremos un más detenido análisis de este poema desde el punto de vista estético).

Hay varios dentro de este mismo grupo que vienen a ser como anticipación de ese éxtasis que espera, presagio de la plena unión que busca. El número 10, por ejemplo, dice (págs. 20-21):

> A veces, siento
> como la rosa
> que seré un día, como el ala
> que seré un día;
> y un perfume me envuelve, ajeno y mío,
> mío y de rosa;
> y una errancia me coje, ajena y mía,
> mía y de pájaro.

Es especialmente interesante lo de "ajeno y mío", pues a esa envolvente relación de lo otro con lo mío, del fuera con el dentro y el dentro con el fuera, se refiere luego, repetidamente, como a algo logrado, en *Animal de fondo*.

Un clamar por esa unión que anhela es el poema 36 (pág. 43). Lo que espera está simbolizado por una mujer "desnuda, firme y blanca"; pero ello no es ciertamente amor —aunque ese anhelo, por otra parte, también exista en él—, sino "la sola idea", salvadora. Es un poema oscuro, por su propio contenido (ya que él no sabe con certeza qué es lo que espera), pero su sentido, la raíz de donde brota, es cosa que podemos bien comprender, después de los poemas que hemos visto:

> ¡Ven ya del fondo de tu cueva oscura,
>
> ....
>
> ¡Dame, de pie, el reposo;
>
> ....
>
> el sólo sentimiento
> la eterna fe en lo sólo,
> que en lo tanto, y en vano, espero, espero!

Y a un análogo afán responde el 109 (pág. 103). Es como un suspiro imaginando el día en que sólo hubiera presente, eternidad [27]. En este poema dice: "¡Quién supiera / ...entrar de frente y gustoso, / todo desnudo, en la libre / alegría del presente!". Más prosaico es el número 45, "¡Ay!" (págs. 49-50), que

---

[27] "Lo que ha sido instante pleno, ha sido absoluta, completa, redonda eternidad", escribió en unas notas fechadas "1914-1924", publicadas en 1932, en el núm. 8 de *Sucesión*. Y luego, en la carta a Cernuda de *El Hijo Pródigo*: "Yo soy un ansioso de la eternidad, y la concibo como presente, es decir, como instante".

se refiere, como a un recuerdo más que como a un anhelo, a esos "Instantes en que el mañana / no vale
nada; en que es hoy / el fin; y estamos dispuestos /
a todo, no importa qué". Y termina:

> ...¡Y qué poquísima falta
> nos hace el hombre, ni el dios!

A un especial momento de arrebato, a una experiencia concreta, se refiere sin duda "Luz", el número 90 (págs. 86-88). La experiencia vivida, muy intensa, parece ser sólo presagio de otra aún mayor,
anuncio de un éxtasis que aún no ha llegado ("como si
uno / fuese a ser..."). Dice en parte:

> De pronto, entrando
> en el jardín, vi el sol
> ....
> Fue como si yo entrara
> en el corazón vivo —¡qué sorpresa!—,
> en el ardiente centro
> de la hermosura...
> ....
> Ni una hoja áurea se movía.
> Aquello era como si uno
> fuese a ser armonía pura y clara
> de un instrumento eterno, una cadencia
> que pudiera durar por vida y muerte

Y como vemos, siempre que Juan Ramón ahonda
en un sentimiento, en una experiencia de esta clase, su
verso es natural y sencillo, límpido. No hay aquí narcisismo alguno. Es lo que *él* sintió, desde luego (¿qué
otra cosa podría ser?), pero no vemos aquí sobre todo
a Juan Ramón, el poeta orgulloso de su obra, con sus

97

especiales problemas, sino que sentimos su corazón, tan humano, un corazón de hombre, y vemos el paisaje en que él está situado. Se trata de una experiencia particular, mas de carácter universal, comunicable. Juan Ramón no habla aquí de sí, sino que describe lo vivido por él, que a todos nos interesa, por ser cosa de todos: un presagio de eternidad, de belleza suma. Y lo describe de un modo intenso y eficaz.

Hay unos cuantos poemas que, aunque cercanos en espíritu a estos de que acabamos de ocuparnos, tienen un carácter algo especial. Como en los escritos de los místicos, se habla en ellos de buscar en el interior, en el "centro" del alma, la fuente que lleva el alma a trascender. Poesías de esta clase no se encuentran en *Belleza*. Se lee en el poema número 12 de *Poesía* (pág. 22):

> ¡Concentrarme, concentrarme,
> hasta oírme el centro último,
> el centro que va a mi yo
> más lejano,
> el que me sume en el todo!

El 18 (págs. 26-27), muy breve también, empieza:

> ¡Ay, cómo siento el manantial,
> aquí, en mi corazón oscuro!

Y luego agrega: "¡Ay, cuando... / ascenderá mi chorro hasta encontrar / ...el chorro derramado de lo eterno!".

Y por último, el 59, "La mano contra la luz" (página 60), más retorcido y conceptual, dice sin embargo cosa parecida: "No somos más que un débil saco /

...pero corre en nosotros la semilla / ...la mariposa
única, / ...el ser invulnerable, / ...que colma, libre,
lo infinito".

PARENTESIS SOBRE LA SOLEDAD, NARCI-
SISMO Y AGRESIVIDAD DE JUAN RAMON

En la obra de Juan Ramón, los defectos como las
virtudes provenían, creo yo, en gran parte de su *soledad,* diferentes clases de soledad. Hay muchos modos
de estar solos, aunque todos esos modos a menudo se
fundan y confundan en la misma persona. Hay la soledad primera, la del sensitivo, el adolescente, el enamorado, el introvertido buscador de belleza; y hay la
soledad, más honda y angustiosa, del hombre a solas
frente al mundo, en el tiempo, frente a la muerte: la
soledad que es raíz del *tema* en Juan Ramón, como lo
es de la poesía de Antonio Machado, y tantos otros.
Pero hay, además, la soledad del que se queda solo:
la del enfermo y maniático, la del egoísta, la de Nar-
ciso. Y ésta fue sin duda también la de Juan Ramón,
mezclada a las otras soledades. Y de ella proviene también, a veces, su obra.

Hay una parte de su obra (ciertos poemas, bastantes prosas) por la que se le ha criticado —más de viva
voz que por escrito— y por la que se le seguirá cri-
ticando. Y hay ciertos aspectos de la personalidad de
Juan Ramón que le hacen antipático, y hasta ridículo,
aunque constituían sin duda una enfermedad. No ha-
blaríamos de ello si no fuera porque se reflejan en su
obra, a veces. Es seguramente más respetuoso y discreto no mencionarlos. Pero no creo que con el silencio

se le haga ningún favor. Muchos saben cómo han corrido, corren y seguirán corriendo los rumores, los chistes, las anécdotas reales o inventadas, sobre las manías y exquisiteces de Juan Ramón, sobre su puntillosidad y mala lengua. Se ha dicho sobre todo, y esto es lo que aquí más nos importa, y se dice aún a menudo, en privado, hablando de su obra, que Juan Ramón es un "cursi", un cursi "a lo divino". Y hay para esta acusación un cierto fundamento, creo yo, cuando se piensa en *parte* de su obra, en ciertos versos, en ciertos escritos suyos. Lo malo es que se quiera juzgar su obra poética de la segunda época por esa pequeña parte, por unas docenas de versos (pues lo demás, dejando aparte las abundantes notas de cursilería, propias de él o de la época, que hay en la obra de sus primeros años, se encuentra en cartas, aforismos y otros escritos en prosa; y no en todos, claro es, pues hay prosas suyas muy bellas, aunque a menudo barrocas, y agudísimas). Lo malo es que se le califique, en secreto, de "cursi", sin más ni más, y se le niegue por ello o se le regatee demasiado su gran valor. Suele haber en esto, como en todo en España, dominantes, dos *escuelas*: la de los incondicionales, estetas y devotos, para quienes no tenía tacha; y la de los burlones y cínicos, los rudos o que pretenden serlo, para quienes Juan Ramón es sólo y definitivamente un cursi.

Conviene pues, me parece, basándose en los propios escritos de Juan Ramón, más que en murmuraciones o impresiones personales, tratar de ver en qué consistía ese aspecto de la personalidad del poeta que a tantos ofendía, pues así podremos comprender mejor, y juzgar mejor, lo que no es sino reflejo de ese aspecto de su personalidad en su obra; en esa parte de su obra que, saturada de narcisismo y preciosismo, resulta irritante o ridícula, y de la cual hemos visto ya algunos ejemplos y veremos aún otros.

Hay que empezar por hablar de sus famosos encierros en los pisos de Madrid, en el barrio de Salamanca, de 1917 a 1936, justamente en la época en que mayor era su prestigio e influencia. Y hay que decir en seguida que tan alejado como parecía, tan indiferente como quería aparecer, Juan Ramón vivía siempre, como es bien sabido por todos cuantos le visitaron y se ve por sus escritos, con un ojo hacia afuera, hacia la calle, muy bien informado de todo cuanto pasaba y de lo que los otros hacían. Era un despreciativo que no dejaba nunca de pensar en los demás, un desdeñoso que contaba siempre —aunque fuese para fastidiar— con los otros. Nunca ignoraba al atacante, abierto o escondido, real o presunto: lo tenía siempre en cuenta, por pequeño que fuese. Muchos de sus escritos en prosa son *contra* alguien, si no contra todos. Necesitaba a los otros, compañía —sabido es con qué generosidad acogía siempre al recién llegado, a los jóvenes—, y todos se iban apartando de él. Le amargaba probablemente su soledad. Esa soledad a que se veía reducido. Su soledad entre los hombres, él lo dijo (véase nota 11, supra, págs. 34-35), era el motivo principal de su tristeza. Y quizás era también, como reacción, motivo de su alegría, de ese estar contento de sí de que hace alarde: orgullo que arroja a menudo a la cara de los otros, al mundo, como un reto.

Véase lo que dijo en ese "Autorretrato (Para uso de reptiles de varia categoría)", que fecha en 1923, aunque no lo publicó sino en 1928, probablemente corregido, justamente cuando lanza los primeros ataques contra Lorca y Alberti, a quienes años antes había acogido tan jubilosamente:

> La Belleza me es familiar y tengo los dones completos de la Poesía: sensualidad, jenio, gusto, vista, universalidad, crítica, idea. Con mi vida y con mi pluma hago lo que me da la gana... Las dos normalidades que más me gustan son: quedarme en mi casa con mi mujer y mi obra y viajar con mi mujer y conmigo. Leo menos cada vez porque cada día entiendo menos lo que no sea mío, y porque estoy siempre sin tiempo, chorreando belleza propia. Por cada página que depuro, creo veinte cada día, ¡que no podré depurar! [28]

¿Qué se proponía al escribir esto? ¿Contra quién estaba furioso? ¿O es, simplemente, sincero al retratar-

---

[28] El "Autorretrato" apareció en *Obra en marcha* y se reproduce en *Cuadernos de Juan Ramón Jiménez*, ed. preparada por F. Garfias, Taurus, Madrid, 1960, págs. 122-124. Estos *Cuadernos* recogen todos los que Juan Ramón fue publicando de 1925 a 1935, es decir: *Unidad* (8 cuadernos, 1925), *Obra en marcha* (1 cuaderno, 1928), *Sucesión* (8 cuadernos, 1932), *Presente* (20 cuadernos, 1932) y *Hojas* (20 hojas, 1935).

En *Obra en marcha* apareció también, fechado en 1927, con el título de "Historia de España. Planos, grados, niveles", este agresivo comentario, sin duda dirigido contra Lorca y Alberti: "En los últimos tiempos... algún orgulloso poeta descontento había tenido la fortuna de ascenderla [la poesía española] totalmente... Ahora, de pronto, desgraciadamente, y como si esto no hubiera sido nada, parte de una juventud asobrinadita casi toda ella, y desganada, tonta, pobre de espíritu, vana, inculta, en jeneral, pretende limitarla, en nombre de lo popularista o lo injenioso, a la arenilla fácil, al azulillo bajo del aro y el globo infantil... Pero, cuidadito, injeniosillos, popularistas, que esas lijeras gracias aisladas y a todo trapo, cansan y terminan, como las gracias repetidas de los niños. Recuerdo a ciertos jóvenes actuales que puedan y quieran todavía entenderme —a riesgo de su enemistad... no se queden adormilados para siempre contra el olé y el ay del arbolé, contra el acróstico y la charada...—, la hermosa galería secreta de la frente reflexiva..." (*Cuadernos...*, páginas 124-125).

se, y sabiendo que va a ser por ello atacado, se adelanta agregando eso de "para uso de reptiles"? ¿Es quizás su propósito sobre todo ofender, hacer alarde de su grandeza, de su desdén por la opinión de otros, de su arrogancia? Quizás quiso las dos cosas a la vez: ser sincero y molestar. Sea como fuere se ve aquí algo de ese modo de ser de Juan Ramón que se refleja a veces también en sus versos: soberbia, desdén; una actitud desafiante, como de uñas frente al mundo, frente a los hombres. Probablemente no le faltaban motivos para esos desplantes, sobre todo en España. El quiere lo alto, noble y puro; y reacciona contra la bajeza y vulgaridad, contra la mezquindad. Y además se siente herido. Mucho de ese desdén es sólo un amor frustrado. Escribía por la misma época:

> Despedida serena: la mayor alegría que un poeta —un artista— puede sentir en su vida es: que a sus 42 años —1923— se le vuelva a zaherir, por raro, por incomprendido, como a sus 19 —1901—. Y la mayor pena, que quienes le dan esa alegría sean los que empezaron con él a amar, exaltar y defender los prestijios del arte puro... [29].

Sería sin duda falso decir que en esos tan frecuentes conflictos de Juan Ramón con la gente, con otros escritores, la culpa estaba siempre de parte de los otros. La malevolencia, la bajeza, la burla, debían hacer a menudo que él se encerrase en su concha y lanzase sus dardos. Pero su propia mala lengua, y sus celos, debían contribuir no poco al alejamiento que casi siempre se producía, al cabo de algún tiempo. Es significativo que

---

[29] Es una de sus notas de "Estética y ética estética", publicadas en el número 8 de *Sucesión* (*Cuadernos...*, pág. 205).

habiendo sido él siempre tan acogedor con los jóvenes poetas (jóvenes aún en 1927, digo), éstos se fueran luego uno a uno apartando de él, casi sin excepción, a medida que alcanzaban cierto renombre. No siempre la causa sería la completa ingratitud de esos jóvenes popularistas, neogongoristas y surrealistoides. En 1921 y 1922 publicó él los cuatro números de la revista *Índice* en donde colaboraron numerosos jóvenes y maduros; y no fue esa su única tentativa de colaboración, de hacer junto con otros una obra de gusto, de altura. Pero poco a poco se va aislando, y no da ya más muestras de vida, poéticamente, que con esas hojas y cuadernos en los que publicaba él solo.

Se negaba siempre, con razón, a mezclarse con escritores y artistas a quienes él no había escogido, a ser contado como uno más entre varios que él no estimara. Al presidente del Ateneo de Sevilla, que le había invitado a tomar parte en una "Fiesta Literaria Andaluza", le contesta el 6 de abril de 1923, con irritación creciente:

> En Huelva hay sin duda personajes mucho más a propósito que yo para este caso, y que estarán deseando, haciéndoseles la boca agua, que ustedes se fijen en ellos. Tendrán ya listo el canto, el traje y el retrato, ensayado el acto, soñada la gloria apetitosa de musa y señorita choquera [30].

---

[30] Véase "Poetría" (*Cuadernos...*, pág. 229) que es el título que Juan Ramón da a su carta. Según indica F. Garfias, en el índice de esos *Cuadernos...* que él reeditó, ésta se publicó en *Obra en marcha* (cuya edición original yo no he podido ver). Pero yo encuentro esa carta, así como otros dos textos que Garfias dice fueron publicados en *Obra en marcha*, en el último cuaderno de *Unidad*.

Se comprende perfectamente que no quisiera él tomar parte en ese "acto" castizo, patriótico y andaluz que se preparaba, pero no parece justificado el alarde de desprecio, la burla; y, sobre todo, no parece discreto, o piadoso, publicar sin motivo aparente esa carta. Algo análogo ocurrió el mismo año cuando le invitaron a formar parte de una Junta encargada de erigir un monumento a Rubén Darío; o cuando le pidieron su opinión con motivo de un homenaje a Camoens [31]. Y a Alfonso Reyes, después que se hubo celebrado un homenaje a Mallarmé, le escribe el 11 de noviembre de 1923:

Esta madrugada, durmiendo, he formulado la siguiente infantil definición de Mallarmé:

---

[31] PALAU DE NEMES (*Op. cit.*, págs. 261-262) se refiere a una carta abierta al Director de *España*, de 27 de octubre de 1923, cuya copia se encuentra en la Sala de la Universidad de Puerto Rico que guarda los papeles de Juan Ramón. Esta iba dirigida a un tal J. L. Pando Baura, secretario de la Junta encargada de erigir un monumento a Rubén Darío. Juan Ramón se negaba a ser vocal de esa Junta, pues pensaba que iba a hacerse un homenaje al "manoseado" Rubén, ése que, al final de su vida, cayó "en ciertos nauseabundos beleños de patriotería, academicismo y compadreo fácil". Según él, lo que debería hacerse era una "edición perfecta... de su obra buena".

Más ataques contiene la carta al "Sr. D. Juan Guixé, *El Liberal*, Madrid", de 13 de enero de 1924, en la cual, dando la opinión que le pedían en cuanto a la idea de enviar a Portugal, con motivo del centenario de Camoens, una "embajada extraordinaria de poetas españoles", se refiere con cierto desdén al poeta portugués, lanza unos dardos a Eugenio D'Ors y Maeztu, propone se envíe a A. Machado y Unamuno, y finalmente agrega: "Si, por el contrario, ha de ser la embajadita una de tantas mezclas político-periodístico-literarias que es costumbre preparar, decida, en amigable consorcio... nuestro actual y tonante Azorín de las Hurdes, perito en tortas y poleadas; que yo huyo de la quema". Esta carta apareció luego en el número 4 de *Unidad* (*Cuadernos...*, págs. 222-223).

Un exactísimo, culto y digno señor de mal gusto, que escribe —fumando— los domingos, en papelitos del Japón, el diamantino alfabeto enigmático de la poesía pura ...

¿Un nuevo adorno, querido Alfonso Reyes, devoto del pertinente maestro, para su cajoncito de Mallarmé? [32].

Juan Ramón, agudísimo, penetrante en sus críticas y en sus retratos, llega siempre a tocar una fibra esencial, a decir algo que *es verdad,* aunque a menudo, cuando ataca, lo que dice resulta injusto por ser sólo una parte de la verdad. De todos modos, ¿qué objeto tenían las pullas a Mallarmé precisamente en esa ocasión? ¿Y por qué la pulla a su "querido" Alfonso Reyes con eso de "su cajoncito de Mallarmé"? Juan Ramón ya no era un jovenzuelo en quien esa actitud sería más justificable.

A Paul Valéry, el 19 de mayo de 1924, le manda una amable carta, muy divulgada, excusándose de no asistir "a sus conferencias y a los actos organizados en su honor", ya que "nunca asisto 'aquí' —alguna vez que lo hice quedé asqueado para siempre— a conferencias ni comidas y, en jeneral, a ningún acto colectivo". Valéry, más amable aún, le contestó con un poema. Pero esto no impidió que años más tarde, en 1931, sin razón alguna, al parecer, probablemente queriendo tan solo ser exacto y justiciero, escribiese que Valéry "tiene algo de divulgador de Mallarmé", y entonces agrega: "Le ha cojido, además, la levita y el sombrero de copa secretos y se ha ido con ellos a conseguir las estivadas

___

[32] Carta publicada en el número 3 de *Unidad* con el título de "5 minutos más a Mallarmé" (*Cuadernos...,* pág. 221).

ventajas de todo jénero que Mallarmé no pudo tener ni tuvo"[33].

Se comprende, pues, que se fuese quedando cada vez más solo. Su soberbia y sus rarezas, su agresividad y sus celos, le iban apartando no sólo de los escritores vulgares, molestos, con quienes nada quería, sino también de los selectos, de los mejores. Y ese apartamiento debía, a su vez, aumentar sus rarezas, su orgullo y agresividad. Esa soledad enconada de Juan Ramón es algo que se refleja a veces en su obra: en esos alardes de egotismo, en ese escribir *para sí* y sobre sus propios problemas, de espaldas al mundo; en ese contemplarse, satisfecho, que en ocasiones —y sobre todo en *Eternidades, Poesía* y *Belleza*— empequeñece algunos de sus poemas. Y esto, el narcisismo, unido al esteticismo y preciosismo a que siempre había tendido y en que a menudo recaía, es lo que da ese tono irritante de cursilería exquisita a algunos de sus poemas menos afortunados. Rasgos de ello se encuentran aquí y allá, incluso en sus mejores poemas. En general, creo puede decirse que cuando una emoción honda le agita, cuando queda absorto en la visión de algo, desaparece, en la segunda época, todo preciosismo. Mas cuando el artífice se sobrepone al poeta, lo pensado a lo vivido, el

---

[33] La carta a Valéry, con el título "6 rosas con silencio", más una reproducción del poema autógrafo con que el poeta francés le contestó, se publicaron en el número 2 de *Unidad* (véase la carta en *Cuadernos...*, págs. 217-218). El ataque a Valéry se encuentra en una de las notas de "Estética y ética estética", fechadas en 1931, que aparecieron en 1932 en el número 3 de *Sucesión (Cuadernos...*, pág. 204).

Hemos citado algo sólo de lo que Juan Ramón en esa época *escribió* y publicó contra otros escritores. Pero debió de ser mucho y variado lo que entonces, como después, Juan Ramón *decía* a quienes le visitaban.

corrector al creador espontáneo, hay siempre el peligro de que Juan Ramón vaya a dar a alguna de sus exquisiteces y rarezas que, siendo a menudo bellas, tienen de vez en cuando un cierto amaneramiento que hace que el lector se sienta un poco avergonzado. Y que Juan Ramón, tan excelente poeta de altura tantas veces, tan buen crítico, y no falto de humor ni mucho menos, no advirtiese a tiempo esos lunares en su obra, esos versos relamidos y notas cursis, aún en su época segunda, es algo que tiene que ver también, creo yo, con su soledad, con su aislamiento, con su falta de comunicación cordial con otros escritores, con su falta de verdaderos amigos. Lo relamido y lo egotista provenían de una misma fuente, así como también su airado rencor: de su soledad.

Claro es que esa soledad enfermiza no era la característica única de la personalidad de Juan Ramón, y ni siquiera la esencial. En primer lugar, junto al puntilloso había en él el caballero noble, acogedor. Y junto al esteta pulcro, el poeta hondo y esencial que era, siempre atento al misterio, siempre ansioso de eternidad.

Su rencor hacia otros escritores muchas veces debía de estar bien justificado: le molestaba el descuido, el desaliño; le dolía la falta de respeto, la crueldad, la traición. En su retrato de Ramón Gómez de la Serna, aunque sin acusar a éste, se refiere a "esas gitanadas entrelargas, esas lagoreras correrías del cadadía madrileño", que seguramente no eran pocas. A Juan Ramón debían de dolerle hondamente las muchas burlas que se hacían a su costa; las murmuraciones en cuanto a sus hábitos sexuales, por ejemplo, punto este último al que no me refiero más explícitamente porque no tengo evidencia alguna de que hubiera base para esas murmuraciones. En todo caso —evitemos malentendidos— una cosa es bien segura: él no era homosexual.

Pero descontando la culpa que cupiese a la incomprensión o malicia de los otros, no cabe duda de que Juan Ramón era un hombre con el que resultaba difícil tratar, al menos en esa época de su encierro relativo en los pisos de Madrid. Gómez de la Serna dice a este respecto, con gracia, justificando su apartamiento del poeta: "No se puede visitar a aquél que todos los días está como en el día de su santo" [34].

Desde 1923 hasta 1936, Juan Ramón no publicó ningún libro de poemas. Y entre 1923 y 1931 debió de escribir muy pocos poemas nuevos.

Desde 1925 publica los *cuadernos*, sueltos, bellamente impresos, en los que escribe él solo. Ahí aparecen prosas y poemas viejos, "revividos", pero pocos poemas nuevos. La tarea de corregir y ordenar su obra ya escrita debía consumir gran parte de su tiempo. El 27 de septiembre de 1924, en una carta a E. R. Curtius, anunciándole el envío de diez de sus libros, entre los que incluía el *Diario, Piedra y cielo, Poesía* y *Belleza*, advierte:

---

[34] Esta cita de Gómez de la Serna pertenece al primero de sus *Retratos contemporáneos*. La de Juan Ramón, a *Españoles de tres mundos*. Ambas citas las usa PALAU DE NEMES (*Op. cit.*, págs. 174-175). Sobre la cita de Gómez de la Serna, hay que advertir, sin embargo, que esas líneas sobre Juan Ramón, como las que preceden a ellas ("aparecía en él el señorito andaluz, despectivo, requeteplanchado, maniático") se refieren al Juan Ramón que conoció cuando éste llegó a Madrid, de Moguer, en 1912 (véase *Retrat. Contemp.*, 2 ed. editorial Sudamericana, Buenos Aires, 1944, pág. 47).

Debo decir a usted, sin embargo, que casi nada de lo que le mando, ni de lo que he publicado hasta el día, lo considero sino como "material poético" para la Obra definitiva que voy —¿este otoño?— a empezar a publicar en hojas sueltas diarias. A mis 42 años —y después de 25 de incesante trabajo con la Belleza—, siento, pienso, veo claramente que ahora es cuando comienzo; y si vivo 15 ó 20 años más, creo que podré ver realizada mi *Obra* —que, de modo informe, existe ya toda— [35].

Y cuatro años después, en *Obra en marcha,* precediendo al "Autorretrato", hay una línea que dice: "46 años de vida; 30 de poesía. Empiezo mi Obra terminante". Mas de toda esa Obra se veía poco, en esos años, poco nuevo sobre todo, y casi nada de su reciente poesía, si alguna escribía. A partir de 1932 y hasta 1936, en *Sucesión, Presente* y en *Hojas,* así como en el periódico *El Sol,* publicó al fin unos cuantos nuevos poemas, que se incluyen más tarde en *La estación total.* Y en 1936 apareció un grueso volumen: *Canción* [36]. Este libro es una antología formada con poemas

[35] Carta publicada en el número 1 de *Unidad (Cuadernos...,* págs. 216-217).

[36] *Canción,* ed. Signo, Madrid, 1936, 434 págs. En la carta a E. Díez-Canedo de 6 de agosto de 1943, que éste incluye en su obra sobre JUAN RAMÓN (*Op. cit.,* págs. 137-142), el poeta habla de sus planes varios en cuanto a la edición de sus Obras Completas. Y del pasado dice: "Cuando salimos de España en 1936, yo dejé en Madrid el trabajo escrito de toda mi vida. Aquel año la Editorial Signo había empezado a publicar mi obra completa en 21 volúmenes, ordenados por formas, 7 de verso, 7 de prosa y 7 más de Apéndices. El primero, 'Canción', salió aquella primavera". Según la lista que él daba en el mismo volumen de *Canción,* los volúmenes en verso proyectados eran los siguientes: 1, *Romance;* 3, *Canción;* 5, *Estancia;* 7, *Arte menor;* 9, *Silva;* 11, *Miscelánea,* y 13, *Verso desnudo.* Los números pares correspondían a las obras en prosa.

de casi todos sus libros anteriores, poemas que él considera del género "canción", generalmente retocados; pero también agrega, al final sobre todo, algunos inéditos, que formarían más tarde parte de las "Canciones de la nueva luz" de *La estación total*.

En este libro, pues, *La estación...*, que apareció en 1946, y donde se agrupan, según él indica, poemas de los años "1923-1936", encontramos poemas previamente publicados entre 1932 y 1936, y otros —más de la mitad de los cientos y pico que componen el libro— que eran hasta entonces, 1946, inéditos; y que no sabemos, por tanto, con alguna exactitud, de cuándo serían, y si los corrigió mucho o no después de 1936.

En total, como vemos, no es mucho lo que escribió en ese período 1923-1936: un solo libro de poemas. Y casi todos debió de escribirlos entre 1932 y 1936. Si escribió muchas poesías entre 1923 y 1931, éstas no se conocen. Son esos los años en que se va quedando más solo, en que se van apartando de él los poetas de la generación de 1927, que en gran parte de él habían arrancado, y con los que había hecho amistad cuando aparecieron. En 1925 fundó la revista *Sí*, y en 1927 *Ley*, donde colaboran diversos escritores, y de cada una de las cuales aparece sólo un número. Pero desde 1928, con *Obra en marcha*, y luego en años siguientes, hasta 1936, con *Sucesión, Presente* y *Hojas*, sigue solo el camino que ya había emprendido en 1925, con *Unidad*.

En los tres o cuatro últimos años de su estancia en Madrid, se hallaban también en la capital, haciendo ruido, tres poetas —además de Guillén y Salinas, Cernuda, Aleixandre y otros— que ejercían gran atracción e influencia sobre los jóvenes: Lorca, Alberti y Neruda. Juan Ramón sentía sin duda celos del éxito de estos poetas. Pero los ataques a éstos y otros, a los "jóvenes" en general, ataques verbales y por escrito, no eran motivados tan sólo, ni principalmente, por razones personales, por envidia, sino por razones literarias. Él pensaba, con mayor o menor justicia, como pensaba Machado, que muchos de los nuevos poetas se inclinaban demasiado a menudo hacia un nuevo verbalismo, un formalismo sutil y refinado quizás, pero hueco, tan hueco como el "modernismo" del cual él había salido.

Ya en 1932, en la nota que precede a sus poemas en la antología de Gerardo Diego, Juan Ramón se refería a su "anhelo creciente de totalidad" y a su "odio profundo a los ismos y a los trucos". Cuatro años más tarde, en un artículo en *El Sol* (24 de mayo de 1936), escribía que la poesía española nueva "carece en jeneral de éstasis: pensamiento y sentimiento, es decir, espíritu". Y días antes, en el artículo ya citado sobre Villaespesa decía, afinando más la puntería: "el creacionismo, el sobrerrealismo, el jitanismo, el marinerismo... el murcielaguismo. Yo definiría a estos 'movimientos' españoles e hispanoamericanos como el villaespesismo jeneral".

Dejando aparte los ataques a los otros poetas, hay que destacar lo que dice de "éstasis" y de su "anhelo creciente de totalidad". Ello es, en su segunda época, una característica constante, como hemos visto y seguiremos viendo, que no se ha tenido suficientemente en cuenta. Olvidan esto quienes le acusan, sin matizar nada, de esteticismo y narcisismo, como si éstas fueran las notas únicas o principales de su poesía. Muchos poetas que hoy se sienten más cerca de Antonio Machado o Unamuno que de Juan Ramón Jiménez, olvidan o ignoran que ellos, con su vuelta a una poesía "esencial", religiosa, honda, y a un claro y limpio *decir* poético, están siguiendo el camino que Juan Ramón inició con el *Diario,* tanto como el camino de Machado o Unamuno. Y quizás más, porque Juan Ramón es un poeta más moderno.

Entre 1932 y 1936, cuando tantos se perdían, pese a sus muchos méritos, de diversos modos, en un "villaespesismo jeneral", hueco, Juan Ramón escribía, y en parte publicaba, los poemas de *La estación total,* algunos de ellos bellísimos, y en los que hay éxtasis, contemplación, misterio, y, sobre todo, ansia de totalidad, de eternidad e infinito. Hay en esos poemas mucho menos "esteticismo", adorno, del que era y sigue siendo usual, y casi nada de narcisismo ya.

Poco después de estallar la guerra civil, Juan Ramón y Zenobia salieron de Madrid. En septiembre de 1936 estaban en Puerto Rico, y en noviembre en La Habana, donde vivieron tres años. En 1939 se trasladaron a Florida, y en 1942 de Florida a Wáshington, donde residirían, con algunas interrupciones, hasta 1951, fecha en que volvieron a Puerto Rico, donde Juan Ramón vivió hasta su muerte en 1958 [37].

---

[37] Como curiosidad reproduzco aquí trozos de una carta suya, fechada en Coral Gables, La Florida, el 25 de mayo de 1940, escrita a lápiz con su letra increíble, que me dirigió a Méjico, y que conservo: "Mi querido amigo: Al volver de New York encuentro aquí su carta y los nos. 7 y 8 de *Romance*... me parece lo mejor que los españoles han hecho en México... Les enviaré con mucho gusto algo mío. Nunca supe nada de la carta que escribí a usted desde La Habana contestando otra suya de Valencia... "Hora de España" me llegaba mal. Sólo pude reunir hasta el no. 20 y con dificultad.

113

Fuera de Madrid, al cambiar de ambiente, Juan Ramón al parecer cambió bastante de carácter también. Salió en todo caso a flote, entonces, lo mejor de él como persona. En Cuba estimulando a jóvenes poetas, o en Estados Unidos, como profesor de literatura, ayudando a estudiantes, resultó a muchos cordial y tolerante, bondadoso y asequible. Juan Ramón llega a aparecer a veces como persona completamente distinta de lo que antes había sido [38].

_____

La legación de España en La Habana tenía un cancerbero repugnante, escritorcito de mala ley y sucio, y él me administraba mi correo... Suyo, como siempre, y por encima de nuestros errores, Juan Ramón Jiménez".

Siento no haber conservado —debió de quedarse en la redacción de *El Hijo Pródigo*— otra suya de 1943 en que algo irritado, sin motivo que yo sepa, respondía accediendo a mi petición de original para esa revista y me ofrecía para que escogiera una gran variedad de géneros que, a modo de reto, enumeraba.

[38] Graciela Palau de Nemes, que vió con frecuencia a Juan Ramón durante la estancia de éste en Wáshington, se refiere a menudo a su afabilidad y sociabilidad en esos años: "Su piso en 'Dorchester House' era el paradero y centro de reunión de diplomáticos, escritores, artistas, discípulos, amigos y admiradores..." (*Op. cit.*, pág. 319). Y también: "Los Jiménez seguían frecuentando sus círculos en Wáshington: iban a conciertos, exposiciones de arte, comidas de confianza en las embajadas..." (pág. 321). Guillermo de Torre, al verle en Buenos Aires en 1948, se asombró del cambio: "Abierto, luminoso, benévolo, sin sombra de maledicencias ni desdenes" ("Juan Ramón Jiménez y América", artículo en *Insula*, Madrid, núm. 144; 15 nov. 1958). En la primavera de 1949 tuve yo con él una larga conversación telefónica en Wáshington. Incluso sólo oyéndole, me pareció también una persona distinta a la que yo había conocido quince años antes. Aunque siempre había sido —las veces que le vi en el último de sus pisos de Madrid— muy amable conmigo, me pareció ahora mucho más efusivo, llano, comunicativo. Me dijo que no pensaba volver a España, aunque tanta falta le hacía oir hablar español, y que se deleitaba escuchando a una criada. Preparaba sus obras completas; e insistía en acusar, a pesar de mis protestas, del robo de sus manuscritos en Madrid, del asalto que se hizo a su casa, a "los esbirros de Bergamín".

Surgen de pronto en él rasgos de una modestia, sincera sin duda, que quizás siempre en el fondo había tenido, pero que nunca antes había manifestado, que yo sepa. Seguramente el cariño, el respeto y admiración de los que le rodeaban —justamente en la época en que muchos le olvidaban, y disminuía entre los poetas y lectores de poesía su prestigio— estimulaba esa nueva actitud suya. En 1937 decía en La Habana, ante un micrófono (y empieza ya por ser sorprendente que se prestase a hablar ante un micrófono):

> Voy a cumplir 56 años... Después de 40 de fervorosa pasión lírica... sigo seguro, como a los 45, a los 35... de no haber logrado nada a mi gusto en idea, sentimiento ni palabra. Lo que quiero expresar, ¡qué lejos se queda de lo que expreso! [39]

En la carta a Canedo de agosto de 1943, ya citada, después de referirse al "cambio profundo" que se produjo en él al llegar a América en 1936, agrega:

> Más que nunca necesitaba la espresión sencilla, en la que creo haber escrito lo menos deleznable de mi obra, que tantas veces se me ha complicado con ese vicio barroco que es la locura última de toda la literatura española.

Autocrítica ésta honesta y exactísima. Y fijémonos que dice "tantas veces", como es cierto; es decir, des-

---

Que se produjo en él un cambio al llegar a América, una especie de examen de conciencia, lo dice en la carta a Canedo de 1943: "Desde estas Américas, empecé a verme, y a ver lo demás, y a los demás, en los días de España... Se produjo en mí un cambio profundo, algo parecido al que tuve cuando vine en 1916".

[39] "Ciego ante ciegos", Revista cubana, oct.-dic. 1937, págs. 35-36 (Citado por GASTON FIGUEIRA, en Juan Ramón Jiménez, poeta de lo inefable, 2 ed. Bib. Alfar, Buenos Aires, 1948, pág. 92).

pués de 1916 también, y no sólo en su primera época. Cayó a menudo en el barroquismo, con mayor o menor fortuna. En la segunda época ese barroquismo, o rasgos de él, alterna con la poesía "desnuda", con la "espresión sencilla", que es siempre lo mejor.

Pero el más enternecedor ejemplo de esa nueva modestia y sociabilidad de Juan Ramón en sus últimos años, es la carta que el 19 de junio de 1948, poco antes de emprender el viaje a Buenos Aires, escribe a un grupo de admiradores suyos que asistieron a la inauguración de la biblioteca "Juan Ramón Jiménez" en su pueblo natal, Moguer. Empieza recordando que él no ha sido nunca "partidario de homenajes de ningún género", y que en verdad se avergüenza de ellos, sobre todo "porque creo que no los merezco". Y agrega:

> Yo no soy nadie ni nada más que un trabajador enamorado de mi trabajo, y en él encuentro mi recompensa... Estoy arrepentido de la mayor parte de los libros que he publicado, y mi obsesión actual es no haber esperado hasta estos últimos años de mi vida para haber impreso mis escritos, digo, cuando ya no pudiese mejorarlos más, cuando les hubiese dado lo mayor de mí, cuando hubiese cambiado mi obra por mí mismo y ya no pudiese yo ser mucho tiempo testigo ni crítico de ella. Y darlos como justificación de una vida de trabajo vocativo.

Lo que aquí dice no es sorprendente. Lo único quizás nuevo es lo del "trabajo vocativo", de que él hablaba mucho en sus últimos años y de lo cual aún nos ocuparemos, más adelante. Pero lo extraordinario es el tono de su carta; que hable en efecto a otros, y no sólo para sí; la pena en vez de la satisfacción; la modestia última y sincera, en vez de la soberbia, el orgullo, que era antes lo usual. Anuncia luego el envío de sus libros, a partir de los *Sonetos* (no quiere enviar los de su juventud "enfermiza y triste") y, para el futuro, promete mandarles "cuanto yo publique desde hoy". Y finalmente agrega: "Y no crean ustedes, mis queridos amigos, que soy un desagradecido, pues no lo soy, sino un moguereño leal y pudoroso..."[40].

En cuanto a sus opiniones sobre otros poetas, éstas no cambiaron mucho, seguramente, aunque en ocasiones, en algunos escritos suyos en América, en cartas publicadas (a G. Arciniegas, a J. Revueltas, a Cernuda) parece suavizar algo sus juicios, y sobre todo parece menos deseoso que antes de ofender. Sin embargo, en Puerto Rico, después de 1951 —por lo que he oído de diversas personas que allí le visitaron con frecuencia— seguía, como siempre, con sus fobias, hablando mal de la gente. En un artículo publicado en abril de 1953 en *Buenos Aires literario* (reproducido en *Insula*, jul.-agosto 1957), habla de Poe, y de pronto, sin que venga muy a cuento, llama a T. S. Eliot "juglar de gardenia en el ojal, pañuelo colgando y raya planchada, el monstruoso payaso", y a Pablo Neruda, repitiendo una opinión vieja, le califica de "romántico desorbitado en su amaneramiento natural de lo sucio, lo cursi y lo sonámbulo".

No cambió, pues, del todo Juan Ramón, al final de su vida. Pero definitivamente, desde que salió de Madrid, en 1936, fue más sociable, abandonó su aislamiento, su enfermiza soledad buscada; y así siguen

---

40 Esta carta se incluye en el libro de Francisco Garfias, *Juan Ramón Jiménez,* ed. Taurus, Madrid, 1958, págs. 145-147.

disminuyendo en su obra esos rasgos desagradables de narcisismo y rebuscado esteticismo, si no de barroquismo, que ya habían empezado a disminuir desde 1932. Al parecer él ya había reaccionado contra sí mismo, contra esos defectos suyos, antes de salir de España; y fuera ya de ella, libre en parte de ese cerco de murmuraciones e insidias que allí siempre sentía, fue en parte otro hombre; más solo quizá, pero menos encerrado en sí, menos hostil, más abierto a los hombres. Y ello se advierte en su obra, como veremos.

EL "TEMA" EN "LA ESTACION TOTAL" Y EN OTRAS OBRAS ANTERIORES A 1948

En *La estación total* más de la mitad de los poemas se refieren directamente al *tema*. Pero apenas se habla ya de la muerte, y nada de la Obra como consuelo [41]. Casi todos los que tienen que ver con el *tema* tratan de ese trascender del alma, esa unión, o deseo de unión, con lo bello, que ya vimos era el contenido espiritual de diversos poemas anteriores suyos. Mas hay ahora un cambio de tono. Hay más colorido, más paisaje. Hay más fluidez, menos guiones; aunque aún

---

[41] Ese consuelo de quedar en la Obra, al que tantas veces se acogió en años anteriores, ya no le sirve, al parecer. En una página en prosa de 1925, "Gusto (Belleza conciente)", publicada en el número 8 de *Unidad (Cuadernos...*, pág. 121), se decía ya a sí mismo: "¿Qué te importa estar en la frente de los otros... ¡Valiente billetito falso ése de la gloria!". Y se respondía con las palabras de un poeta persa: "Le pregunté a mi amada: ¿Para qué te embelleces tanto? —Para gustarme a mí misma —me contestó—..." Es decir, trabaja ahora por *gusto*; y no habla tanto de la Obra, ni de hallar en ella consuelo para la muerte.

parece dominar en muchos de esos poemas lo pensado sobre lo vivido. Hay ocasiones en que parece haberse dejado influir algo por esos mismos "ismos" que desdeñaba, y cultivar cierto hermetismo, cierta innecesaria oscuridad. Hay algún poema —como "Rosa de sombra"— francamente gongorino, con más artificio y belleza externa, formal, que contenido, que emoción. Pero, en general, sobre todo en los que tienen que ver con el *tema*, es la visión, el éxtasis o nostalgia de éxtasis, la apasionada búsqueda de salvación y salida, el "fondo", en suma, lo que importa, lo que se impone, y no la forma por sí misma. Cuando tiene algo importante que decir, es la desnudez básica —pese a ciertos adornos—, ese nombrar lo esencial, que él decía, el método expresivo que aún emplea.

Veamos ahora algunos de esos poemas de *La estación total* [42].

El único que encuentro se refiera a la muerte es "La pérdida" (pág. 85), publicado en el núm. 5 de *Hojas* y fechado en 1934. No hay en él esa aceptación "gozosa" de la muerte que antes vimos, y ningún consuelo por lo que de él quede en su Obra. Mas el poema, ligero, no expresa tampoco gran dolor, y carece en absoluto de sentimentalismo: es simplemente constatación de un hecho triste. Tiene tres estrofas y dicen las dos primeras:

---

[42] *La estación total con las canciones de la nueva luz* (1923-1936), ed. Losada, Buenos Aires, 1946. El libro se divide en tres partes: I, *La estación total*, 1, págs. 11-47; II, *Canciones de la nueva luz*, págs. 51-117; y III, *La estación total*, 2, págs. 121-157. Todas las citas de este libro las tomo de esta primera edición, y a ella corresponde el número de la página que se indica junto a la cita.

Perdida en la noche inmensa.
¿Quién la encontrará?
El que muere, cada noche
más lejos se va.

Lejos, a la no esperanza.
Para quien se fue,
aunque el que se queda implore,
no vale la fe.

En alguna de las canciones reaparece el Juan Ramón narcisista, satisfecho de sí, ansioso de bastarse a sí mismo. El ejemplo mejor es el poemilla titulado, precisamente, "Ejemplo" (pág. 58), donde el ejemplo es él, que se dice a sí mismo:

Enseña a dios a ser tú.
Sé solo siempre con todos,
con todo, que puedes serlo.

(Si sigues tu voluntad,
un día podrás reinarte
solo enmedio de tu mundo.)

Solo y contigo, más grande,
más solo que el dios que un día
creíste dios cuando niño.

Pero mucho más típicos de *La estación total* son los poemas en que habla de la búsqueda o nostalgia de una plenitud que constantemente anhela. Poemas en que se refiere, en suma, a su "anhelo creciente de totalidad". Uno de estos, el primero que aparece, es "La otra forma" (pág. 16), que se publicó en el núm. 12 de *Hojas,* y está fechado en 1933. No es un gran poema. Expresa su deseo más como pensamiento que co-

no emoción. Es como el propósito de alcanzar un estado de gracia, aún indefinido:

> No nos basta esta forma. Hay que salir
> y ser en otro ser el otro ser.
> Perpetuar nuestra explosión gozosa.

Salir de sí, pues, es su anhelo, "ser en otro", ser
"el otro". El vive a veces momentos de plenitud, pero
se trataría de perpetuar esa "explosión gozosa". Quisiera quedarse fijo, en paz para siempre, y no muerto,
sino vivo, ardiente: ser, como él dice en el mismo
poema, "estatua ardiente en paz del dinamismo". Esto
es, lo que "siempre hemos querido ser", y lo que lo-
grará luego en *Animal de fondo*.

Ansia de eternidad expresa también "Mi reino"
(pág. 60), publicado antes en *Canción:*

> Sólo en lo eterno podría
> yo realizar esta ansia
> de la belleza completa.
>
> En lo eterno, donde no
> hubiese un son ni una luz
> ni un sabor que le dijeran
> "¡basta!" al ala de mi vida.

Más bello, recordando los mejores poemas del *Diario*, es "Nada igual" (pág. 18). Contempla el paisaje
("juegan su luz y su sombra / la nube con la monta-
ña") y admira esa belleza que se basta a sí misma ("qué
alto no necesitar / nada igual, nada distinto!"). Eso
es lo que él envidia. Así quisiera él ser: "La gran plenitud aparte / que el alma perdida anhela". Vivir sin
temor. Y termina nostálgico, vencido pero anheloso

aún de alcanzar esa magnífica indiferencia, ese estado
de perfección, de gracia, que tiene la belleza natural:

> Juegan su frío y su sol
> la nube con la montaña,
> indiferentes al eco
> y al águila. Y al poeta.

Lo mismo, o cosa muy parecida, dice en "Plenitud" (pág. 23), aunque éste es un poema más oscuro.
Quizás no pueda entenderlo sino quien haya entendido
el anterior. Dicen los versos más reveladores:

> Delante está el carmín de la emoción.
> ....
> la eterna plenitud desnuda
> ....
> ¡Armonía sin fin, gran armonía
> de lo que se despide sin cuidado...

Análogo a éstos es también "Sitio perpetuo" (páginas 12-13), de 1932, aparecido en el núm. 1 de *Presente*, del que nos ocuparemos detenidamente en la segunda parte de esta obra.

A un grupo distinto, dentro de la misma serie, pertenece "El azul relativo", que, aunque esto yo no lo
he podido comprobar, parece ser que se publicó en
El Sol en 1936. Es difícil sin duda, para quien no
esté en antecedentes, adivinar a qué se refiere. Habla
de un presagio de plenitud, de una gracia que él in-
tuye está ya a punto de alcanzar, que casi alcanza,
pero que de pronto pierde, viéndose obligado a volver,
triste, a "la verdad del resigno y del conforme". La
dificultad está en que Juan Ramón personifica ahí ese

estado de gracia que busca, que adivina, en un ser extraño, huidizo y saltarín. Y así empieza :

> De la noche ha saltado. Y yo le digo
> "Te cojeré, sabré de ti"
>   Y doy un salto
> tras ello (pág. 27).

En la segunda parte analizaremos también este poema, típico de esos suyos en que resume, en forma abstracta, en un símbolo, una serie de experiencias análogas que ha vivido.

Más claro que el anterior, y de parecido asunto, es "Ráfaga" (pág. 105), que se encontraba ya en *Canción*. El título es ya muy expresivo. Empieza : "En lo negro te cojo, / pasajera de oro". Y termina con esta súplica :

> ¡Párate ante mis ojos!
> ¡No te lleves... lo otro!

Y ahora veamos "Criatura afortunada" (págs. 123-124), poema al que ya antes hemos aludido y que se incluye en casi todas las antologías. Apareció en el núm. 1 de *Presente*, fechado en 1932. Habla de la identificación con el pájaro, "criatura afortunada", en momentos de embriaguez; pero lo que domina en el poema es "envidia" —de la buena, claro es, envidia sin rencor, admiración— de esa gracia y descuido que el ave saltarina representa : embeleso ante su encanto. Todo el poema parece impregnado de la sonrisa nostálgica con que el poeta contempla esa "criatura". Hay tristeza, sentimiento de temporalidad, conciencia de los propios límites; pero lo que destaca no es la queja o el llanto, sino la admirativa contemplación. Empieza:

> Cantando vas, riendo por el agua,
> por el aire silbando vas, riendo,
> en ronda azul y oro, plata y verde,
> dichoso de pasar y repasar
> entre el rojo primer brotar de abril...

El anhelo triste, la envidia suave, aparece pronto, al decir:

> ¡Qué alegre eres tú, ser,
> con qué alegría universal, eterna!
> ¡Rompes feliz el ondear del aire,
> ....
> ¡No hay temor en tu gloria;
> tu destino es volver, volver, volver...

Luego viene el recuerdo de esos momentos en que el alma parece unida a él, en que *parece* que vamos a ser eternos como él, libres:

> Nos das la mano, en un momento
> de afinidad posible, de amor súbito,
> ....
> nos encendemos de armonía,
> ....
> ¡Parece que también vamos a ser
> perenes como tú,
> que vamos a volar del mar al monte,
> que vamos a saltar del cielo al mar,
> que vamos a volver, volver, volver
> por una eternidad de eternidades!

Mas para creer, para sentir esto, hay que olvidar la realidad, nuestra realidad. Y ello no es fácil. Por eso nos quedamos en tierra, sin volar, con el anhelo sólo. Esto es lo que dice, insinúa, el poeta. Mas el énfasis, repetimos, está en la admiración. Y así, después de advertir en un verso clave, sin dramatismo alguno: "¡Pero tú no te tienes que olvidar!", sigue cantando al pájaro, olvidado al parecer de sí, aunque su frustrado anhelo de libertad esté siempre como latiendo por debajo, implícito en su cantar admirado:

> tú eres presencia casual perpetua,
> eres la criatura afortunada,
> ....
> que, en ronda azul y oro, plata y verde,
> riendo vas, silbando por el aire,
> por el agua cantando vas, riendo! [43].

Muy abundante es en *La estación total* la serie de poemas que se refieren a un momento de "unión", de plenitud. Pero se trata en verdad más bien, creo yo, muchas veces, sólo de un recuerdo, un pensamiento, o un deseo. Son poemas en que *da como logrado* lo que busca, lo que espera. Es posible que viviera con más frecuencia que creemos, ya en esta época, esos instantes de éxtasis a que a veces parece aludir. Pero el hecho es que a menudo, por el tono del poema, y también por algún verso que se le escapa, como vamos a ver, parece más bien tratarse de un vivo deseo de alegría y plenitud que la imaginación convierte por un instante en realidad. Así el primer poema del libro, "Desde dentro" (pág. 11), que empieza, demasiado se-

---

[43] Lo que hemos dicho de este poema parecerá ahora al lector, quizás, cosa obvia. Pero el caso es que, sobre Juan Ramón, lo obvio en éste y otros casos no lo ha dicho hasta ahora nadie, que yo sepa. Y no porque todo resulte a todos simple y evidente.

reno, dado el contenido: "Rompió mi alma con oro…"
Y más adelante dice:

> Desde entonces ¡qué paz!
> no tiendo ya hacia fuera
> mis manos. Lo infinito
> está dentro. Yo soy
> el horizonte recojido.

Aquí nos dice, evidentemente, que ha encontrado la "paz", después de esa interiorización a que alude, que ocurrió hace tiempo ("desde entonces"). Pero es difícil creerle, por la forma en que lo dice, por el tono del poema, y sobre todo porque vemos en los poemas que siguen que está lejos de haber encontrado la paz. Cosa distinta ocurre, como veremos, en *Animal de fondo,* donde empieza también así, y donde el tono es también a menudo sereno, reflexivo, pero donde es mucho más explícito en cuanto a la índole del éxtasis experimentado, insistente incluso; y donde el libro todo conserva una perfecta unidad, pese a las variaciones, por lo cual nos convence que en efecto ha vivido esa emoción de que habla, y nos transmite ésta, hasta donde ello es posible.

También me parece apagado, dado lo que expresa, el poema que en *La estación total* es el primero de la sección que titula "Paraíso". Se llama "Lo que sigue" (págs. 14-15), y es de 1933, publicado en el núm. 2 de *Hojas.* Alude a una exaltación sentida alguna vez, una tarde, en que su alma parecía escapar de sus límites:

> Entramos y salimos sonriendo,
> llenos los ojos de totalidad,

de la tarde a la eternidad, alegres
de lo uno y lo otro. Y de seguir,
de entrar y de seguir.
                    Y de salir...

A una experiencia análoga, aunque precisando más,
se refiere el poema tercero de esa misma sección, o sea
"El otoñado" (pág. 17), de 1935, publicado en el número 19 de *Hojas*. Habla de ser "todo", de haber logrado una plena identificación con el paisaje:

> Estoy completo de naturaleza,
> en plena tarde de áurea madurez,
> alto viento en lo verde traspasado
> ....
> Soy tesoro supremo, desasido,
> con densa redondez de limpio iris,
> del seno de la acción. Y lo soy todo.
> Lo todo que es el colmo de la nada,

El estar "desasido" de "la acción" hace pensar en
un éxtasis, al que por lo demás se refieren también los
versos anteriores que hemos citado. Pero resulta ya sospechoso lo de que "lo todo" no sea sino "el colmo de
la nada". La salvación por el éxtasis, panteísta o no,
consiste precisamente en superar la nada, sintiéndose
todo, elevándose al todo, conquistándolo todo. Ahora
bien, si ese "todo" no es más que una nada suprema,
de poco ha servido el éxtasis; y en verdad es dudoso
que lo haya habido siquiera. A no ser que, como bu-
dista, aspirara a la aniquilación, a disolverse en la nada.
Mas no parece así con lo que dice de estar "completo".
Quizás quiere decir con eso de que el todo es el colmo
de la nada, que es desde la nada, una vez llega-

do al fondo de la nada, cuando se levanta para con-
quistar el todo. Es ambiguo, para mí, lo que dice en
ese verso. Pero en todo caso la sospecha de que el éxtasis no fue cosa tan real como parece en los primeros
versos, se confirma en los dos que siguen, donde dice:

> el todo que se basta y que es servido
> de lo que todavía es ambición.

Ese ser "todo", pues, ese estado en que uno se
basta, sintiéndose por ello libre, es "todavía" sólo ambición, sólo un deseo, una esperanza.

Hay poemas en que parece claro se refiere a un específico momento de arrebato, a un cierto éxtasis realmente vivido. Y sin embargo aún se tiene la sensación, la tengo yo al menos, de que se trata de un éxtasis *forzado*, pensado más que vivido. Por ejemplo
"Sitio fiel" (pág. 46). Empieza por la escueta descripción del paisaje que contempla: "Las nubes y los ár-
boles se funden / y el sol les transparenta su honda
paz". Y luego vienen las dos estrofas finales en las que
describe con exactitud su impresión, pero de un modo
frío, a lo que contribuye quizás la métrica del poema,
ese rimar como en romance los endecasílabos:

> El cerco universal se va apretando,
> y ya en toda la hora azul no hay más
> que la nube, que el árbol, que la ola,
> síntesis de la gloria cenital.
> El fin está en el centro. Y se ha sentado
> aquí, su sitio fiel, la eternidad.
> Para esto hemos venido. (Cae todo
> lo otro, que era luz provisional.)
> Y todos los destinos aquí salen,
> aquí entran, aquí suben, aquí están.

> Tiene el alma un descanso de caminos
> que han llegado a su único final.

Hay algún poema, breve, en que se limita a anotar, como en ocasiones hacen los místicos, el momento de gracia, pero sin descripción alguna. Así "Dios primero" (pág. 61), aparecido antes en *Canción*. Empieza refiriéndose a momentos de sequedad: "Días nulos...". Y poco después termina:

> De pronto, un día de gracia,
> todo me ve con mis ojos,
> me parto en mundos de amor.

Sólo en algún poema como "Huir azul" (pág. 103), publicado en *Canción,* después de describir el lugar, el momento en que sintió la exaltación ante el paisaje, nos convence de la realidad de ese entusiasmo, y en cierto modo nos lo comunica. Es además, o por la misma razón, uno de los más bellos de *La estación total.* No decimos aquí más de este poema porque de él nos vamos a ocupar en la segunda parte.

"Mirlo fiel" (págs. 136-137), como el nombre ya indica, es un poema hermano de "Criatura afortunada". Se publicaron juntos en el mismo número de *Presente,* aunque "Mirlo fiel" está fechado un año después, 1933. No se trata en él, sin embargo, de la *envidia* que produce el ave afortunada, del deseo de ser como ella, de esa admiración con que la contempla, sino —como en poemas anteriores del pájaro en la enramada— del eco que el canto produce en su corazón: del arrobamiento alcanzado. Es un tema viejo, tratado ahora con maestría, y se advierte bien que más que una experiencia es un recuerdo agrandado, algo que él construye sobre la base de muchos otros poemas, algo que piensa más que vive. Habla, sí, de una plenitud vivida, lograda, y no sólo buscada. Mas precisamente por eso creo yo que el poema éste es menos sincero, menos auténtico que el otro, "Criatura afortunada". Dice así, en parte:

> Cuando el mirlo, en lo verde nuevo, un día
> vuelve, y silba su amor, embriagado,
> meciendo su inquietud en fresco de oro,
> nos abre, negro, con su rojo pico,
> carbón vivificado por su ascua,
> un alma de valores armoniosos
> mayor que todo nuestro ser.
> ....
> un momento llegamos,
> en viento, en ola, en roca, en llama,
> al imposible eterno de la vida.
> ....
> entra, vibra silbando, ríe, habla,
> canta... Y ensancha con su canto
> la hora parada de la estación viva,
> y nos hace la vida suficiente.
>
> ¡Eternidad, hora ensanchada,
> paraíso de lustror único, abierto
> a nosotros mayores, pensativos,
> por un ser diminuto que se ensancha!
> ¡Primavera, absoluta primavera,
> cuando el mirlo ejemplar, una mañana,
> enloquece de amor entre lo verde!

Magníficamente alude al mágico momento en que llega "al imposible eterno de la vida", en que el canto "ensancha" la "hora parada", convirtiéndola en eternidad. Sin embargo, fijémonos que ese "momento", que tuvo que ser bien determinado, es en el poema sólo como un momento *abstracto,* como el resumen de muchos momentos parecidos: él habla de que eso ocurre "un día" de primavera, "una mañana". Junta en el poema el recuerdo, *agrandado,* de muchas impresiones suyas, al oir el pájaro cantar "en lo verde nuevo". Convierte en éxtasis lo que no había, probablemente, llegado nunca a serlo: crea, en suma, el éxtasis en el papel, en el poema, recordando esos cantos.

Cierto que también en "Criatura afortunada" habla de un pájaro indeterminado, cualquier abril, de una admiración y envidia que es resumen de muchas envidias y admiraciones. Pero ahí eso no importa. Ya que de lo que él habla, en último término, es de su constante aspiración a una libertad que no tiene, de un deseo que es constante en él, no importa que resuma en un instante, imaginario o no, lo que es en verdad una constante experiencia. Pero si se trata no de un anhelo cotidiano sino de un momento único, excepcional, de uno de esos raros instantes en que se siente "la vida suficiente", de éxtasis en suma, ese momento ha de ser definido, específico. Y no parece así cuando se nos habla de un mirlo cualquiera, un mirlo abstracto, una mañana cualquiera primaveral. Por eso "Mirlo fiel", un bellísimo poema por otra parte, es poema en mi opinión más pensado que vivido, pese a la síntesis de vivencias que contiene, y resulta por ello, con toda su perfección, algo frío.

Muy reveladores del estado de alma que creo fue dominante en él en esos años, 1932-1936, en que debió de escribir la mayoría de los poemas de *La estación total,* son tres poemas, que se encuentran ya al final del libro.

El primero de esos tres es el titulado "En flor 50" (págs. 151-152). El "50" se refiere seguramente a los años que él tenía en 1932, y el "en flor" a ese rebrote en él de la poesía, de la inspiración, ese año de 1932 en que empiezan a aparecer los primeros poemas de *La estación total*, en que empieza a escribir poemas después de un largo silencio. Por eso dice: "Brotado estoy de flor y hoja, / en esta verde soledad lucien-te / ...¿Una vez más ésta frescura nueva, / ...de nuevo alegremente renovado?". Falta ahora ese con-tento de sí, ofensivo, de sus años anteriores; y tam-poco habla ya de la eternidad que con la Obra le está asegurada. La eternidad que ahora anhela es la del instante mágico. Por eso dice, con versos algo oscuros:

> Si lo eterno es instante ¡eternidad
> perfecta, fiel, con la promesa májica
> de lo que si no es ser bien podría!

Obsérvese esa indecisión, esa duda: "*Si* lo eterno es instante..." Y cómo luego, al mismo tiempo que grita eso de "¡eternidad perfecta!", que es la eter-nidad del instante, resulta ese instante ser sólo *pro-mesa* de algo que "si no es" bien podría serlo. Con todo lo cual, si no entiendo yo mal, se refiere a ese como presagio de eternidad, de gracia que siente, que debió de sentir muchas veces, y esto sí que realmente. Algo que no llegaba a ser el éxtasis, la plenitud, pero que lo anunciaba.

Y que esta interpretación es válida, me parece lo confirma el poema siguiente, que se titula, precisamen-te, "La gracia" (págs. 153-155). Personifica la gracia en un ser impalpable: "Está en el aire...", dice al

132

empezar. Y luego: "¡Qué claro y qué constante / en el azul, su cuerpo transparente..." Las "sendas naturales" que "conducen a su cuerpo y a su alma / ...las tenemos que abrir con alma y cuerpo / ...Y ¡qué feliz el que la alcanza / en el presente único...".

Y de lo mismo trata el poema último del libro, "Mensajera de la estación total" (págs. 157-158), es decir, de la gracia que lleva al momento de plenitud. Este poema fue publicado, al parecer, en *El Sol* en 1935. Para quien no esté advertido resultan sin duda bastante enigmáticos versos como éstos:

> Y venía, y venía
> entre las hojas verdes, rojas, cobres,
> por los caminos todos...

Aquí ya no hay esfuerzo alguno por hacer de una cosa otra, por presentar como emoción un pensamiento. La emoción aquí es real. Lo que dice corresponde a algo muy vivo y real en él: esa espera; ese presagio constante en el paisaje, en el aire, en todo, de la gracia, del momento salvador de luz, de eternidad. Percibe la huella de esa gracia y se pregunta, y se responde, apasionadamente: "¿Y a qué venía, a qué venía? / Venía sólo a no acabar...". Era "cinta ideal de suma gracia". Y trata de decir en qué consistía ésta, qué promesa le trae. Era como un espejo mágico, algo

> que viese lo de fuera desde fuera
> y desde dentro lo de dentro;
> ....
> Mensajera de la estación total,
> todo se hacía vista en ella.

La gracia, pues, esa luz que presiente, es algo de dentro y de fuera, algo que une el dentro con el fuera. Es la pura luminosidad ("todo se hacía vista en ella"), o como diría luego en el primer poema de *Animal de fondo* —donde logra lo que aquí aparece ya en cierto modo prefigurado— "La transparencia, dios, la transparencia".

La "mensajera" es a la vez la gracia, el mundo externo tocado por esa luz de gracia y el alma del poeta, de donde todo sale, ya que como él dice en otras ocasiones, todo se realiza en "la inmanencia", en él. Y así termina el poema "Mensajera de la estación total", y termina el libro, con este apasionado imaginar, que es como grito de esperanza:

> (Mensajera
> ¡qué gloria ver para verse a sí mismo,
> en sí mismo,
> en uno mismo,
> en una misma,
> la gloria que proviene de nosotros!)
>
> Ella era esa gloria ¡y lo veía!
> Todo, volver a ella sola,
> solo, salir toda de ella.
>
> (Mensajera,
> tú existías. Y lo sabía yo.)

Su obra poética desde la llegada por segunda vez a América hasta el viaje a la Argentina, de 1936 a 1948, es relativamente corta. Casi toda ella se encuentra hoy reunida en la *Tercera Antolojía Poética* [44]. La

---

[44] *Tercera Antolojía Poética (1898-1953)*, ed. Biblioteca Nueva,

134

sección 36 de esta antología, titulada *En el otro costado* (1936-1942), tiene en total 38 poemas. Entre éstos se incluyen los 20 que formaban el libro *Romances de Coral Gables* (1939-1942), así como las tres partes de "Espacio", de las cuales las dos primeras habían aparecido ya en revista en 1943 y 1944 [45]. El resto son

Madrid, 1957. Todas las citas que siguen de obras de Juan Ramón posteriores a *La estación total*, a no ser que se indique otra cosa, se toman de esta edición.

En la obra titulada *Libros de Poesía*, de Juan Ramón Jiménez (Aguilar, Madrid, 1957), edición hermana de *Primeros libros de poesía*, aparecen juntos los libros publicados de *Sonetos espirituales* a *Animal de fondo*, pero se excluye el libro *Romances de Coral Gables*, y también las poesías de *En el otro costado, Una colina meridiana* y *Ríos que se van*, que no se habían publicado antes en volumen, pero que aparecen reunidas en la *Tercera Antolojía*.

[45] Precisar lo que se sabe en cuanto a las fechas en que fue escrito este poema, y las transformaciones que sufrió —cosa, para nosotros, de algún interés, como vamos a ver— requiere una larga explicación. La primera parte, "Espacio (Una estrofa)", apareció en el núm. sep.-oct. 1943 de la revista mejicana *Cuadernos Americanos*, págs. 191-205. Y estaba fechada "Por La Florida, 1941-1942". La segunda parte, titulada "Espacio (Fragmento 1 de la segunda estrofa)", se publicó en el núm. de sep.-oct. 1944 de la misma revista, págs. 181-183. Y estaba fechado "1941". Ambos eran poemas, en verso libre. La tercera parte se publicó por vez primera en 1954 y no sabemos con seguridad cuándo la escribió, aunque debió de corregirla bastante ese mismo año de 1954.

En la carta a Canedo de 1943, dice que en 1941, al salir de un hospital en Miami "una embriaguez rapsódica" le dictó ese poema "en una sola interminable estrofa en verso libre mayor". Y agrega que "paralelo a él, como me ocurre siempre, vino a mi lápiz un interminable párrafo en prosa". Luego se refiere a dos partes del poema, "Espacio" y "Tiempo", como a dos *libros*. Un mes antes, en julio de 1943, en la carta a Cernuda de *El Hijo Pródigo* escribía: "Ahora, hace tres años, tengo en mi lápiz un poema que llamo 'Espacio' y sobrellamo 'Estrofa', y llevo ya de él unas 115 páginas seguidas". Mas lo único que se conocía, antes de 1954, eran los dos poemas, o partes, que se publicaron en *Cuadernos Americanos*. El 4 de marzo de 1954 le habló a R. Gullón de "Espacio", poema "en cuya revisión estoy trabajando... cuando se publicó en Méjico tenía poemas sueltos, algunos de ellos ya publicados, que él agrupa bajo tres títulos: *Mar sin caminos* (4 poemas), *Canciones de la Florida* (7 poemas) y *Caminos sin mar* (4 poemas). Casi todos los poemas de *En el otro costado* debió de escribirlos en Florida[46].

La sección que sigue, en la misma antología, *Una colina meridiana* (1942-1950), tiene 19 poemas, y de ellos diez o doce son probablemente anteriores a 1948.

Aparte de lo que se encuentra en la antología, hay algún poema suelto, aparecido en revista, y el librito *Voces de mi copla* (1940), publicado en 1945, formado en gran parte por poemillas antes ya publicados, a veces retocados, y que es obra que nos interesa aquí menos[47].

---

una sola estrofa. Ahora tiene tres, muy amplias. Voy a publicarlas, si las quieren, en *Poesía española*, revista que me agrada, y las daré en forma de prosa". Y, en efecto, publicó las tres partes en esa revista, en el núm. de abril de 1954. Y esto es lo que se reproduce luego en la *Tercera Antolojía*. Las tres partes se llaman "Fragmento primero" (págs. 851-863), "Fragmento segundo" (páginas 864-866) y "Fragmento tercero" (págs. 867-880). Y al final se lee "Por La Florida, 1941-1942-1954". Los fragmentos primero y segundo, en esa versión de 1954, contienen lo publicado en 1943 y 1944 en *Cuadernos Americanos*, puesto en prosa y sólo muy ligeramente corregido, apenas nada. El fragmento tercero —distinto en espíritu a los otros, como veremos— era lo único nuevo.

[46] Aunque él da como fechas en que escribió *En el otro costado* los años "1936-1942" (sin duda para poder empalmar así con los años "1923-1936" de *La estación total*), en la carta de 1943 a Canedo dice: "En La Florida empecé a escribir otra vez en verso. Antes, por Puerto Rico y Cuba, había escrito casi exclusivamente crítica y conferencias". Es muy posible, por otra parte, que aunque da el año de 1942 como final, corrigiera después de esa fecha algo de lo escrito en Florida entre 1939 y 1942.

[47] *Voces de mi copla (1940)*, ed. Stylo, México, 1945. La misma editorial, en la misma colección "Nueva Floresta", editó luego, en 1948, los *Romances de Coral Gables*. El librito *Voces de mi copla* se divide en cuatro secciones y consta, en total, de 85 poemas, muy

Empecemos por ver algunos de los poemas de *En el otro costado,* siguiendo el orden en que aparecen en la antología.

Nada hay importante, en cuanto al *tema,* en *Mar sin caminos,* pero la última de las *Canciones de la Florida,* titulada "Dios visitante" (pág. 847), es una variante más del tema del pájaro en la enramada. Dice al comenzar:

> En las palmas canta un dios,
> con pico de hombre.
> ¿No lo miras
> cómo se asoma y se esconde?
>
> Nos dice lo que queremos
> y entre lo oscuro lo pone.

Más clara e insistentemente reaparece el *tema* en el "Fragmento primero" de *Espacio.* Es éste un raro poema. En el prólogo (suprimido en la *Tercera Antolojía)* que precedía a este fragmento o "estrofa" cuando se publicó en verso en 1943, dice Juan Ramón que siempre había acariciado la idea "de un poema seguido... sin asunto concreto, sostenido sólo por la sorpresa, el hallazgo, la luz", pero que esto no lo había intentado ahora como "empresa", sino que el poema había brotado solo, había "venido libre a mi conciencia poética". Es un ejemplo, creo yo, de escritura *automática,* al modo surrealista [48]. Como en chorro salen a flote re-

---

breves, de tres o cuatro versos cortos, generalmente. El que más directa relación tiene con el *tema* es, quizás, "Tarde total" (página LIX), que es el que se llamaba en *Piedra y cielo* "Tarde" ("Cómo, meciéndose..."), y que ya comentamos.

[48] El poema ése —le escribía en 1943 a Canedo— le fue "dictado por la estensión lisa de La Florida" y "es una escritura de tiempo,

cuerdos e impresiones, temores y esperanzas más o menos escondidos. Pero hay algo que destaca en medio de este caos, algo que reaparece, y ello no es sino la busca de una salida, la espera de un momento de luz, de gracia, que le haga sentirse eterno. Veamos algunas líneas tomadas de la versión prosificada que apareció en *Poesía española*, idéntica a la que se incluye en la *Tercera Antolojía*, y que difiere de la primera, publicada en 1943, aparte de haber suprimido las líneas que formaban los versos, sólo muy levemente, en alguna sílaba o en cambios de puntuación:

> ...hay, tiene que haber un punto, una salida; el sitio del seguir más verdadero, con nombre no inventado, diferente de eso que es diferente e inventado que llamamos, en nuestro desconsuelo, Edén, Oasis, Paraíso, Cielo, pero que no lo es, y que sabemos que no lo es, como los niños saben que no es lo que no es que anda con ellos... Aquel chopo de luz me lo decía, en Madrid, contra el aire turquesa del otoño: "Termínate en ti mismo como yo" ...¿Esto es vivir? ¿Hay otra cosa más que este vivir de cambio y gloria? Yo oigo siempre esa música que suena en el fondo de todo, más allá; ella es la que me llama desde el mar, por la calle, en el sueño (págs. 853-854).

Sigue un par de páginas en las que se mezclan recuerdos, miradas como resbalando sobre las cosas y vagos pensamientos. Y al fin vienen unas líneas en las que reaparece otra vez, claro, su deseo, un sueño que da como realizado:

> Sueño, ¿he dormido? Hora celeste y verde toda; y solos. Hora en que las paredes y las puertas se desvanecen como agua, aire, y el alma sale y entra en todo, de y por todo, con una comunicación de luz y sombra. Todo se ve a la luz de dentro, todo es dentro, y las estrellas no son más que chispas de nosotros... (páginas 856-857).

Este deseo de comunicación no es cosa nueva en él, como sabemos. Y en el trozo final de este fragmento primero reaparece el pájaro:

> ¡El canto, el pájaro otra vez! Ya estás aquí, ya has vuelto... ¿De dónde llegas tú, tú en esta tarde gris con brisa cálida?... ¿Cómo tú tan pequeño, di, lo llenas todo y sales por el más?... Tú y yo, pájaro, somos uno; cántame, canta tú, que yo te oigo... (págs. 860-861).

Hasta aquí vemos como una repetición, en cierto modo, de "Criatura afortunada". Pero luego viene una identificación completa, un entusiasmo, el éxtasis. Vivida en verdad esa unión, o pensada, imaginada sólo, en todo caso empieza él súbitamente a escribir con arrebato. Véanse estas líneas, que damos también en prosa, tomadas de la *Tercera Antolojía*, pero indicando la separación de los versos que se encontraban en el poema de 1943:

> Pájaro, amor, luz, esperanza; / nunca te he comprendido como ahora; / nunca he visto tu dios como hoy lo veo, / el dios que acaso fuiste tú y que me com-

prende... / ¡Qué hermosa primavera nos aguarda / en el amor, fuera del odio! / ¡Ya soy feliz! ¡El canto, tú y tu canto!... / ¡Espacio y tiempo y luz en todo yo, / en todos y yo y todos! / ¡Yo con la inmensidad! Esto es distinto; / nunca lo sospeché y ahora lo tengo / ...¡Yo universo inmenso, / dentro, fuera de ti, segura inmensidad! / ...¡Todo es nuestro / y no se nos acaba nunca! ¡Amor, / contigo y con la luz todo se hace, / y lo que haces, amor, no acaba nunca! (págs. 861-863).

El "Fragmento segundo", mucho más breve, no nos interesa aquí. Y del "Fragmento tercero", que quizás sea bastante posterior, o que debió de ser muy retocado después de 1948, nos ocuparemos más adelante, después de estudiar *Animal de fondo*.

Los poemas que siguen son los *Romances de Coral Gables*, de 1939-1942. Varios de ellos se refieren al *tema:* a la búsqueda, a la espera del momento de gracia. Hay alguno que, por el contrario, expresa vencimiento, fracaso, como el que se titula "Con tu piedra" (pág. 884), que empieza: "El cielo pesa lo mismo / que una cantera de piedra". En estos poemas estaba quizás él pensando cuando escribió a Díez-Canedo, en 1943, sobre la necesidad que sentía de volver a la "espresión sencilla" y evitar el "vicio barroco" en el que con frecuencia recaía. No son sencillos, sin embargo, estos nuevos romances [49].

[49] G. Díaz-Plaja dice, refiriéndose a los *Romances de Coral Gables:* "...éste es un libro difícil, casi críptico... El carácter sibilino de estos poemas... permite al crítico un asedio limitado" (*Op. cit.,* pág. 285). Y él limita en verdad mucho su asedio, aunque ciertamente hace más que otros, que apenas mencionan estos poemas.

"Por dos yeles" (págs. 887-888), algo oscuro, empieza:

> Préndeme, sol, mis espacios
> de ese oro que tú sabes,
> ....
> Que yo respire en el alba
> la pureza de dos aires

El deseo de comunicar entrañable, apasionadamente, con el mundo de fuera se expresa en los versos que luego siguen:

> Que se junte en mi pasión
> lo que despierte y que cante,
> lo que mire, lo que entre,
> lo que sonría y que hable.

En "Más allá que yo" (págs. 890-891) la belleza del cielo en un ocaso despierta el ansia de infinito, de un "más allá" que presiente, pero que escapa, que él no alcanza. Es, en suma, otra vez, el sentimiento de temporalidad, de insignificancia ante lo bello, eterno e infinito. Aunque este sentimiento doloroso, de ansia y fracaso, lo ponga él sólo en forma de duda, de pregunta:

> Este ocaso que se apaga,
> ¿qué es lo que tiene detrás?
> ¿lo que yo perdí en el cielo,
> lo que yo perdí en el mar,
> ....
> ¿Más allá que lo pasado
> y más que lo que vendrá
> ....

141

> ¿Más allá que yo, que acabo
> todo con mi imaginar,
> ....
>
> ¿Más allá que yo en la nada,
> más que yo en mi nada, más
> que la nada y más que el todo
> ya sin mí, más, más allá?

En cambio en "Carmín fijo" (págs. 894-895), donde también se trata de su impresión ante el "llamear
de los cielos" en un atardecer, se refiere no a la separación de ese infinito presentido, sino a la unión con
él, a la certeza momentánea de que ese instante es
eterno, que el carmín ese del cielo es "fijo" y "no se
podrá nunca ir". Pero más parece este romance, por su
tono general, expresión de un *deseo* que grito de vic-
toria. Es más, quizás, como acto de fe, voluntad sostenida en vilo, que expresión de un momento luminoso de plenitud vivida. Empieza:

> Este carmín no se ha ido,
> este carmín arde allí,
> este carmín aquí canta,
> no se podrá nunca ir.

Y sigue repitiendo que permanecerá imborrable ese
"poniente de carmín" aun cuando llegue "la noche mo-
rada" o la aurora o "el mediodía azul"; bien esté "el
corazón cansado" o "sereno". Tal afirmación sólo tiene
sentido al manifestar un ardiente deseo —tan ardiente
que se dé como logrado, por ansia, lo que es tan sólo
un sueño— o bien como expresión de un momento especial de iluminación, de fe. En todo caso ello supone
una honda emoción por parte del poeta. Mas aquí, al

principio, el poeta no aparece, no le vemos sintiendo, viviendo ese momento, y por eso los versos, aunque bellos, resultan retóricos, fríos, poco convincentes. Mas se adivina la pasión del poeta en estos otros cuatro versos, en la mitad del poema:

> ¡Carmín del poniente, entre
> los pinos del existir,
> quemándonos lo infinito
> en un eterno morir!

Aparece ahí la visión del paisaje, ese carmín del poniente, es decir, las nubes encendidas entre los pinos, y una impresión de "infinito". Pero al mismo tiempo está en ese "quemándonos", y en el "existir", la indicación clara —aunque tal vez insuficiente— de que él se siente unido a ese paisaje, a ese crepúsculo: que él está fuera de sí, que él es los pinos, que está en el "carmín" como ese carmín del cielo está en él. El paisaje y él, unidos en ese momento, son eternos. Por eso el crepúsculo es un "eterno morir", su eterno morir, un no acabar. Y al nombrar el cielo —el carmín quemante—, ya que la visión de este cielo va unida a la intuición del infinito, puede decir que el carmín *quema lo infinito;* mas como ello ocurre también en él, nos dice: "quemándo*nos* lo infinito / en un eterno morir". Mas estos cuatro versos, que son la clave, resultan oscuros por condensar tanto en tan poco, y no bastan, además, para quitar la impresión que al comienzo produce el poema, que es de cierta frialdad, pues no se entiende al principio lo que significa ese "no se podrá nunca ir".

Vemos pues que estos romances son a menudo difíciles, en efecto, pese a su aparente sencillez, aunque no sean del todo inabordables.

Hay uno muy bello, "Arboles hombres", que comentaremos en la segunda parte. Y hay otros que no son sino variantes del tema del pájaro. Hay un poema, no romance, "Ente" (págs. 912-913), bastante oscuro, que parece ser una impresión de vacío en el paisaje, impresión de hueco, de ausencia de Dios:

> Se va, subiendo a lo otro.
> ....
> Y los pájaros más solos
> están como para nadie,
> bajan como para todos
> al nadie que está en el todo,
> ....
> olvido en gloria del dios
> que no está en ninguna parte
> ....
> Y una sola flor se mece
> sobre la inmensa presencia
> de la ausencia majistral.

En "Libre de libres" (pág. 914), el último de los *Romances de Coral Gables,* resume lo que es nota dominante en este libro, como en *La estación total,* es decir el ansia creciente de totalidad, de eternidad; la espera, la esperanza de un imposible: ser ascua eterna, quemarse siempre y "sin consumirme". Y así acaba:

> ¡Qué final! Este sería
> el ser de todos los fines;
> todo quemándose en mí,
> y yo con todo, ascua libre.

144

Los poemas que siguen de *En el otro costado,* o sea los cuatro agrupados bajo el título de *Caminos sin mar,* indican una baja de la fe, momentos de desaliento. De uno de ellos, "Espejismo", trataremos más adelante. Parecido en pesimismo es "Mudo universo que me cercas" (págs. 917-918). Es un poema en versos eneasílabos rimados como en el romance. Se refiere sin duda a una impresión suya viendo el amanecer sobre el mar. Empieza:

> El mar ha sido más que el cielo.
> ¿Ahora el cielo es más que el mar?
> Se dilata, se abre, se acerca.
> Y el mar se encoje, baja atrás.

El mar (con un recuerdo quizás del mar del *Diario*), indiferente, se "sume negro, sólo / para sí solo" y le deja a él fuera, triste; mientras que el cielo "me ensancha / todo, y yo vibro inmensidad". En el cielo hay como una promesa. Pero ésta jamás se cumple:

> ¿Qué es lo que das, altor, bajando
> al que se abisma en tu mirar,
> pero que sabe bien que eres
> eterna imposibilidad?

Y bien explícito es lo que dice en el poema último, "En esa luz" (pág. 919), esto es, que lo que busca está *ahí,* pero él no lo encuentra:

> Y en esa luz estás tú;
> pero no sé dónde estás,
> no sé dónde está la luz.

Pasando, por último, a *Una colina meridiana* (1942-1950), hay que decir que algunos de los poe-

145

mas que aquí más nos interesan están al final, y por eso y otras razones que veremos deben de ser posteriores a *Animal de fondo,* por lo cual nos ocuparemos de ellos después de tratar de este libro. Anterior sin duda alguna a 1948 —ya que fue publicado en revista en 1944— es el poema "Del fondo de la vida", bastante desolado ("quizás algo o alguien oiga, oiga"), del que nos ocuparemos en la segunda parte.

Es posible que sea anterior a 1948 el romance "Por fuego" (págs. 937-938) que se refiere a un instante (sea éste vivido realmente o sólo imaginado) de éxtasis:

> ¡Cercado de ardiente oro!
> Yo en el centro de la hoguera,
> llameando en cuerpo y alma.
> ....
> Mi entraña la nube, el árbol,
> el animal y la peña,
> ¡todo! es para mí la insólita
> reunión de una belleza
> donde se funde por fuego
> la calidad sempiterna.
> Yo lo he mirado ardiendo
> y ella mira con conciencia
> ....
> ...rotas las cercas
> del paraíso completo:
> lo de dentro y lo de fuera.

El está fuera de sí, en la nube, "en el centro de la hoguera", y a su vez esa belleza le "mira con conciencia"; se han unido "lo de dentro y lo de fuera", el alma y el mundo, "rotas las cercas". Pronto veremos qué cerca está ya este poema, en el asunto como en el cono, a los de *Animal de fondo*. ¿Es anterior y está ya aquí prefigurada, como otras veces, pero con más precisión que nunca, la experiencia que habría pronto de vivir? ¿Vivió realmente ese momento de identificación con el "todo" a que ahí se refiere? Aunque especifica que ello ocurrió una "mañana azul" no estoy yo muy seguro de ello.

Pero es también posible, y tal vez más probable, que este poema sea de 1949 ó 1950: eco, más que presagio; eco, ya un tanto frío, del éxtasis vivido en el mar, en 1948; un querer volver a vivir, ya en tierra, esa identificación del dentro con el fuera que indudablemente había vivido poco antes, mientras navegaba.

Pero sea como fuere en el caso de este poema, lo que resulta innegable —por lo que hemos visto y por lo que vamos inmediatamente a ver— es que mucho de la obra poética de Juan Ramón, desde el *Diario* y *Piedra y cielo*, pero muy especialmente a partir de *La estación total*, parece ser sólo preparación para esa obra extraña, excepcional por más de un concepto, que es *Animal de fondo*, obra en la que culmina su trayectoria poética [50].

---

[50] Que *Animal de fondo* tiene estrecha relación con mucho de la obra anterior de Juan Ramón Jiménez, especialmente con *La estación total*, es cosa que ya han visto, o intuido, diversos críticos. Se ha mencionado el hecho, pero sin explicar cómo ni por qué, sin precisar nada. F. Garfias, por ejemplo, en su obra sobre Juan Ramón, dice que *Animal de fondo* es "culminación, eslabón final de un proceso glorioso" (*Op. cit.*, pág. 80); G. Díaz-Plaja habla de "cumbre culminadora" y final de un "largo proceso" (*Op. cit.*, págs. 296-297). Y ya antes, el crítico Rinaldo Froldi, en la "Introduzione a *Animale di fondo*", de la edición italiana de esta obra (Firenze, 1954), decía: "*Animale di fondo* è il punto d'arrivo del lungo cammino dello Jiménez... non si comprende senza la produzione che lo

147

El 4 de agosto de 1948, acompañado de Zenobia, llegó Juan Ramón a Buenos Aires, a donde había ido para dar unas conferencias. Le hicieron un recibimiento extraordinario y él quedó muy satisfecho del viaje. Semanas después, en el viaje de vuelta, es cuando al parecer escribió, o empezó al menos a escribir, los poemas que constituirían *Animal de fondo* [51]. En ese mismo año de 1948 aparecieron ya en revistas y en periódicos algunas de las poesías de este libro, publicado en 1949 [52].

En la *Tercera Antolojía*, la sección 38, que sigue a *Una colina meridiana*, se titula *Dios deseado y deseante*, lleva la fecha de "1949" y consta de dos par-

---

precede" (Citado por DONALD F. FOGELQUIST, *Juan Ramón Jiménez. Vida y obra*, Hispanic Institute, New York, 1958, pág. 64).

[51] En las *Conversaciones...* se lee: "...gracias también al mar, con ocasión del viaje a la Argentina, surge *Dios deseado y deseante*" (pág. 120). En un texto que luego citaremos, aparecido en 1959 ("Epílogo de 1948. El Milagro español") claramente indica Juan Ramón que el encuentro con "Dios", la experiencia que es base de *Animal de fondo*, ocurrió *después* del viaje a la Argentina. Y la señora Palau de Nemes dice rotundamente que ese libro lo escribió "durante el viaje de regreso, en alta mar" (*Op. cit.*, pág. 330). No da la fecha de ese viaje de vuelta. Debió ser pronto, en septiembre probablemente, ya que para dar las conferencias que le pedían, Juan Ramón aprovechó "las vacaciones de verano" (pág. 323).

[52] Dos poemas se publicaron en *La Nación*, de Buenos Aires, el 11 y el 21 de noviembre de 1948, y cuatro o cinco en revistas que aparecieron con fecha de 1948 (véase la bibliografía en las obras de G. Palau de Nemes, F. Garfias o D. F. Fogelquist), aunque alguna de éstas quizás viese la luz ya en 1949. El libro (*Animal de fondo*, *con la versión francesa de Lysandro Z. D. Galtier*, ed. Pleamar, Buenos Aires) se "terminó de imprimir" el día 4 de julio de 1949.

tes: 1, "Animal de fondo" y 2, "Dios deseado y deseante". En la parte primera se reproducen los 29 poemas de la obra publicada en 1949, incluso las "Notas" en prosa que iban al final. La parte segunda está formada por siete poemas, evidentemente posteriores, pero que no sabemos con seguridad cuándo los escribiría [53]. Estos poemas agregados son en todo caso de tono y carácter distinto a los anteriores, y por eso hemos creído conveniente ocuparnos de ellos por separado, tratando primero sólo de los de *Animal de fondo*.

El libro tiene gran unidad. Todas las poesías se refieren en esencia a lo mismo, hablan de una misma experiencia, de un mismo estado de alma. No hay caídas o dudas, búsqueda o temor: los 29 poemas hablan sobre todo de un estado de gracia alcanzado.

Algo extraordinario debió ocurrirle desde luego durante ese viaje por mar, de regreso a los Estados Unidos. Que a un cierto *éxtasis* se está él refiriendo sin cesar, es cosa que resulta evidente para cualquiera que abra el libro, por poco que de él entienda. La dificultad está en precisar en qué consistió el tal éxtasis, es decir, en imaginar su visión, en intuir cuál fue su experiencia. Como ocurre a menudo con los místicos, él es poco explícito al referirse a la emoción suprema, a esa experiencia que, por su propia naturaleza, es difícilmente comunicable. Más fácilmente comprensibles son los comentarios que él hace, en los mismos poemas, sobre su

---

[53] Probablemente son de 1949, como él indica en la *Tercera Antolojía;* aunque esa fecha "1949" parece referirse también a los poemas de *Animal de fondo*, que deben de ser, sin embargo, en su mayoría al menos, de 1948. De esos siete poemas agregados en la antología de 1957, se habían publicado ya, que yo sepa, en revistas, uno en 1949, otro en 1953 y tres en 1954.

nuevo estado de alma; las reflexiones, muy frecuentes, en torno a esa experiencia básica en que el alma, la conciencia, se une con el mundo externo contemplado. El carácter de esa experiencia básica que decimos se halla de todos modos suficientemente indicado, y ella no ha de parecer extraña a quien haya seguido la evolución de lo que hemos llamado *tema central* en Juan Ramón.

Los versos carecen, en general, de adornos superfluos, y son por sí bastante claros, límpidos, pese a la introducción de vez en cuando de algunas palabras que él crea. La dificultad, cuando la hay, que es frecuentemente, suele estar en el contenido más que en la forma; en lo que dice, en lo extraño de la experiencia, más que en el modo de expresar ésta. Los versos son libres, de diversas medidas, aunque abunden los de 7 y 11, y aunque se encuentren bastantes rimas, casi siempre asonantes y a menudo en versos pareados.

El trata de decir simplemente su estado de alegría, de plenitud lograda, de armonía conseguida con el mundo que contempla. Y mezclado a esto van ciertas meditaciones en cuanto a su visión, en cuanto a su vida toda y la paz al fin lograda. Pero lo principal es lo que *vio*, lo que sintió de pronto. Era la consecución, al fin, de ese estado de gracia que desde hacía mucho tiempo había buscado sin cesar, y cuya búsqueda es el asunto de muchos de sus poemas desde 1916.

Ahora bien, el hecho de que ese especial estado de alma alcanzado en el otoño de 1948 fuera algo tantas veces anhelado, presentido y hasta, a veces, momentánea aunque incompletamente vivido, plantea un problema en cuanto a la autenticidad y espontaneidad de esa nueva experiencia mística suya. Quien lea el libro con atención, sin saber nada de los antecedentes, si entiende algo, pensará que se trata en efecto de una experiencia única, de un especial estado de gracia : algo que le ocurrió milagrosamente, sin que él supiera cómo ni por qué. Por otra parte, quien conozca los antecedentes habrá de pensar, en cambio, que no fue casual alcanzara ese estado de felicidad y paz exactamente en la forma que él había tanto esperado y deseado, imaginado. ¿Es que la fuerza misma de su deseo le llevó a ese estado (como de la *vía iluminativa* pasaban los místicos, quizás con la ayuda divina mas en todo caso por su propia ansia, a la *unitiva*) o es que Juan Ramón *pensó* que ésa era la salida necesaria, natural, y decidió, imaginando, escribir esos poemas de tipo místico? ¿Se trata, en suma, en verdad de un éxtasis, una emoción superior, realmente vivida, o se trata más bien de algo pensado, resuelto en el intelecto más que en el corazón? Yo, decididamente, me inclino a creer —leyendo con cuidado los poemas— que hubo un salto del deseo al logro, un hallazgo, una gracia : que fue realmente vivida esa superior emoción.

Perturba sin embargo ver que Juan Ramón dice en las "Notas" que siguen a *Animal de fondo,* que esos poemas "los escribí yo mientras pensaba... en lo que había yo hecho en este mundo para encontrar un dios posible por la poesía". Y aun agrega luego : "Y comprendí que el fin de mi vocación y de mi vida era esta aludida conciencia mejor bella...". Lo que llama aquí la atención, claro es, es lo de que escribió "mientras pensaba", y el "comprendí". ¿Es que pensó al escribir, es decir, mientras escribía, pero después de haber vivido aquello sobre lo cual iba a escribir, o es que escribió tan solo porque *pensó*? Ese es el problema. El dice en el mismo lugar, poco antes, oscuramente, que "la escritura poética relijiosa... está para mí en el encuentro después del hallazgo". Y por lo que a esto sigue parece querer decir que no es posible poesía religiosa, o "comunista", por fuera, como propaganda, sino desde dentro, después de la experiencia, "después del hallazgo". Pero no es claro entonces cual es el "encuentro" a que se refiere. ¿Encuentro con la poesía? Esas "Notas" finales no aclaran, en definitiva, mucho al respecto [54].

En mi opinión hubo, sí, hallazgo. Provocado éste, claro es, por su anhelo anterior, por toda su historia anterior, como él dice, pero hubo hallazgo al fin y al cabo, sorpresa; y luego, casi simultáneamente, vino el pensamiento, el darse cuenta de lo que ese encuentro suponía. Esto es lo que parecen indicar, creo yo, los poemas mismos, a los que en último término hemos de atenernos. Pero, además, hay el hecho de que mientras en los poemas de *Animal de fondo* se habla de ese estado de alma como de algo presente, en los que siguen, en *Dios deseado y deseante,* los que agregó

---

[54] G. Díaz-Plaja ve *Animal de fondo* como "término de una prolongadísima serie de meditaciones", como "consecuencia de una larga elaboración estética y mental" (*Op. cit.,* págs. 295-296). Para Agustín Caballero: "*Animal de fondo* no es sino el desarrollo cartesianamente lógico de ese reducido puñado de temas capitales... No es, en modo alguno, una mística *Animal de fondo*; sí, en cambio, una teología, cristalina de concepto y radiante de belleza..." (J. R. J., *Libros de Poesía, Op. cit.,* prólogo, pág. IX). L. F. Vivanco dice, hablando de *La estación total* y *Animal de fondo*: "Llegado a la plenitud de lo real, su conciencia creadora de lo bello, le obliga a dar este paso, convirtiendo en dios lo que hasta ahora había sido belleza..." (*Introducción a la poesía española contemporánea,* ed. Guadarrama, Madrid, 1957, pág. 68). Pero la cuestión está en saber si fue en verdad "paso" premeditado, una decisión suya, o más bien *vuelo,* en el que se encontró por emoción, por gracia.

después, se refiere a ese momento de gracia con nostalgia, como a algo pasado : algo que fue y que ya no es; algo que espera vuelva de nuevo. Si se trataba de una invención suya, de un "pensamiento"; si es que él quiso dar por hecho, como realidad presente, lo que era sólo deseo, intuición vaga, ¿por qué no hizo lo mismo con los posteriores poemas, que incluye luego en el mismo libro?

Antes de ver de cerca los poemas de *Animal de fondo* hay que observar que, considerado el libro en conjunto, hay ciertas visiones, comentarios, recuerdos e ideas, que llamaremos "partes" —todas ellas en relación siempre con la misma básica experiencia en torno de la cual gira el libro—, las cuales reaparecen con frecuencia, como vamos a ver, en unos y otros de los 29 poemas. Algunas poesías contienen sólo una o dos de esas partes diversas, pero a menudo se encuentra en un mismo poema una mezcla de varias de ellas. Facilitará pues, creo yo, la comprensión de cada uno de los poemas el tener una idea previa en cuanto al contenido general de esas partes o temas distintos que decimos se repiten. Las principales son las siguientes :

I, *Extasis:* Hay trozos —así como también poemas completos— que se refieren directamente a lo que podríamos llamar *éxtasis.* Se nombra tan sólo el cielo o el mar y ese "dejarse mecer en dios" del que contempla. No es que el arrebato se produzca por una especial belleza del cielo o el mar en ese instante: es que la belleza ordinaria, de pronto, fue vista y sentida por él de otro modo; como si él participara de ella —él fuera el cielo o el mar— y ella estuviera también dentro de él. Pero de esta comunicación, que es la esencia del éxtasis, se suele hablar en el mismo poema por separado, comentándola, como veremos. Al referirse a éxtasis generalmente él menciona simplemente su es tado contemplativo, nombra la nube o la ola y el "dios" que ha encontrado ("Todas las nubes arden / porqu yo te he encontrado...", se lee, por ejemplo, en l *Tercera Antolojía,* pág. 971).

II, *Dios deseado y dios deseante:* Las estrofas versos sueltos a los cuales acabamos de referirnos poco explicativos en sí, se complementan casi siem pre con lo que dice —a modo de comentario o ex plicación del éxtasis— en cuanto a ese ir y veni ("este ir y venir de lo otro a lo mío, de lo mío lo otro", pág. 1013) del dios deseado y deseante Esto es lo fundamental. Por algo es lo que da, pos teriormente, título al libro. Y ello es también la caus principal de la oscuridad que, a primera vista, aparec en la obra. No es que la idea o emoción que él trata d expresar sea de por sí incomprensible —aunque desd luego no sea nada común— o que los versos sean in necesariamente complicados: lo que sucede es que la alusiones a esa comunicación entre el dentro y el fuera el mundo y su alma, son a menudo fragmentarias, poc explícitas consideradas separadamente. Juntando toda ellas, sin embargo, se ve que lo que dice es bastant claro: el *fuera* se ha hecho para él dentro, y el *dentro* su intimidad, está ya fuera. Todo es uno, y él es libre eterno como la nube o el mar. El es la nube o el mar ellas son él, su mirada. Por eso se refiere el propio Jua Ramón en las "Notas" finales a "lo divino como un conciencia única" de la belleza, y dice que esa bellez está "dentro de nosotros y fuera también y al mism tiempo" (pág. 1017). Esto es una forma de misticism como aún veremos. Pero tratar de sentir, de imagina

esta vivencia suya —leyendo con atención los poemas— me parece a mí cosa más importante, y mucho
mejor modo de comprender, que definir su misticismo
o especular sobre la índole de su "teología" o de su
pensamiento [55].

Dios "deseado" es el dios que él siempre buscó;
pero también es, otras veces, su conciencia, su alma, el
dios inmanente en él. Dios "deseante" es lo de fuera
bello, mar o nube. Por eso cuando contempla y describe lo que ve suele nombrar a ese "dios deseante"
que tiene frente a sí ("Entre la arboladura serena y la
alta nube / ...tú te asomas, dios deseante, sonriendo...", pág. 985). Nada extraordinario hay en llamar
a la naturaleza "dios", o en ver un reflejo de Dios en
la naturaleza. Lo nuevo aquí es que ese dios de fuera,
el mundo, sea "deseante", deseante de él, de Juan Ramón. El desea ese dios, fuera de él, y el dios de fuera,
a su vez, le desea. Ambos dioses —alma y mundo—
comunican, se unen: son en realidad, en el éxtasis, ya
uno mismo. Esta comunicación da lugar a un repetido

[55] Claro es que para tratar de imaginar la vivencia de otro, lo
primero es convencerse —por lo que ese otro dice— de que ésta tuvo
en efecto lugar. Concha Zardoya cree que hubo una vivencia, que
su "experiencia místico-poética la *vive* desde dentro" ("El Dios deseado y deseante de *Animal de fondo*", en *Insula,* jul.-agosto 1957).
En cambio Agustín Caballero, en el prólogo ya citado a *Libros de
Poesía,* escribe: "Podría surgir duda de interpretación si nos hallá-
ramos ante una vivencia mística... Pero, ¿qué clase de relación
mística puede haber, salvo la puramente metafísica, entre el hombre y este dios poético hijo y criatura suya..." (pág. LX). Ya veremos si hay o no "relación mística". Si ésta le parece imposible al
señor Caballero, es porque él cree que el "dios deseado y deseante"
no es "otra cosa sino el yo del poeta gozosamente salvado ya en su
obra", lo cual seguramente no es cierto. Por esto, y por lo que
dice luego, se ve que la "teología" de Juan Ramón no es, para el
mismo Caballero, tan "cristalina de concepto" como él dice.

juego de palabras, como cuando se refiere a esa relación "entre tú, dios deseante de mi vida, / y deseante de tu vida, yo" (pág. 1009). O cuando habla de "la gloria tuya en mí, la gloria mía en ti" (pág. 1011). En realidad todo esto no es sino un modo de comentar sobre su éxtasis, de explicarlo. Es una teología, si se quiere; pero levantada ésta sobre la base de una experiencia, de una plenitud vivida, de un gozo al sentirse en armonía con el universo y libre de temor.

Puede sin duda hablarse de panteísmo, pero es un panteísmo peculiar. El se identifica con la naturaleza que contempla, pero no se disuelve, no se pierde del todo en ella. Ese dios de fuera, deseante, se identifica con el de dentro, deseado, y con su conciencia, con su mirar. Pero él no se anula por ello: en ningún momento deja él de ser Juan Ramón, el poeta que ve y se da cuenta. Su éxtasis es tan sólo como una visión iluminada del mundo, según vamos a ver. Es un trascender de su conciencia para encontrar un dios que no es sino él, Juan Ramón otra vez, y el mundo, en amoroso contacto [56].

---

[56] En las "Notas" que siguen a *Animal de fondo* Juan Ramón dice: "Y, ¿cómo no había de estarlo en lo místico panteísta la forma suprema de lo bello para mí?" (pág. 1016). El padre Ceferino Santos, S. J., en un artículo publicado en *Humanidades* (Comillas, sept. 1957), dice que él "no es simplemente panteísta", pues "no defiende la unidad sustancial de todos los seres ni su identificación *real y objetiva*. Se contenta con una *unión lírica y pensada intuitivamente;* pero esta fusión poética con los objetos no supone en modo alguno la identificación real con ellos" (Citado por G. DíAZ-PLAJA, *Op. cit.*, 302). Es cierto que se trata de una "unión lírica y pensada intuitivamente", pero si por ello no es Juan Ramón panteísta, eso quiere decir que no hay místico panteísta alguno; sólo pensadores, teólogos panteístas.

En alguna rara ocasión parece que busca un Dios por encima de él y del mundo, un Dios como "forma suma de conciencia" (pág. 964), un Dios verdadero. Pero pronto recuerda que el "dios" de que él habla es inmanente, sólo inmanente. Es en la conciencia donde ocurre todo, como él indica con frecuencia. Y al acabar las "Notas" dice que él ha seguido en la poesía un "realismo" que no excluye a Dios, "un dios vivido por el hombre en forma de conciencia inmanente" [57].

Previniéndose quizás contra los que leen de prisa y cristianizan pronto, ya dice Juan Ramón, en el primer poema del libro, que "nada tengo que purgar". Y aclara, dirigiéndose a ese "dios" —siempre con minúscula— deseado y deseante que tanto nombra: "No eres mi redentor, ni eres mi ejemplo, / ni mi padre, ni mi hijo, ni mi hermano: / ...eres dios de lo hermoso conseguido, / conciencia mía de lo hermoso" [58]. Sin

---

[57] "¡La invención, la invención de Dios!", exclamaba, por la misma fecha, en un artículo publicado en *La Nación* el 13 de marzo de 1949. Y agregaba esto, que equivale a la negación de Dios, la negación de un Dios existente fuera del mundo y de la conciencia del hombre, en el origen: "Yo creo que Dios no fue en el principio, a menos que digamos que la acción goetheana es ya divina..." (Citado por Guillermo de Torre en su artículo "Cuatro etapas de Juan Ramón Jiménez", *La Torre. Homenaje a Juan Ramón*, Puerto Rico, julio-diciembre 1957, pág. 61).

[58] En las "Notas" se refiere a "poemas con sentido relijioso" que escribió en diversas épocas de su vida. Pero advierte que "no es que yo haga poesía relijiosa usual" (pág. 1016). En las *Conversaciones...*, años más tarde, decía: "Yo soy una persona que busca a Dios, pero no como Unamuno. Yo no le circunscribo a Cristo, y en mi obra no le llamo así nunca" (pág. 92). No sé cuándo redactaría ese testamento, sin fecha, cuyo autógrafo se reprodujo en la *Revista Hispánica Moderna* (Año XXV, núms. 1-2, enero-abril 1959, páginas 142-143), titulado *Ultima voluntad*, donde se lee: "Si yo muero antes de venir Zenobia... El ataúd sea modesto y liso, de madera sin

embargo sus poemas recuerdan a menudo, por el tono y las imágenes, a los místicos cristianos españoles; y también, en el amoroso nombrar, al Fray Luis de *Los Nombres de Cristo,* como cuando dice, en el mismo poema primero: "Eres la gracia libre, / la gloria del gustar, la eterna simpatía, / el gozo del temblor, la luminaria / del clariver, el fondo del amor..." [59].

III, *Paz conseguida:* Muchos trozos, y algún poema completo, son como una consideración *a posteriori* sobre el éxtasis, consideración en un determinado sentido: un reflexionar, congratulándose, sobre la paz alcanzada. Esto se mezcla a veces a la expresión del éxtasis o a los comentarios en cuanto al dios deseado y deseante. Pero a menudo se encuentran trozos independientes, partes del poema en los que él se recrea en su estado y se felicita, comparando su paz de ahora con la inquietud y búsqueda de otros tiempos ("Ahora puedo yo detener ya mi movimiento...", pág. 965; "Ahora llego yo a este término...", pág. 996; "Este es el hecho decisivo...", pág. 1010; "...una gran visión que me faltaba", pág. 1000).

IV, *Justificación de su vida:* En relación con lo que acabamos de mencionar, hay trozos parecidos, a me-

forrar ni pintar... No se avise a nadie... Amo a Cristo, pero no quiero nada con la iglesia... Perdono a todos mis enemigos".

[59] "Se trata de conducir este libro al surco tradicional de la mística hispánica; se ha apuntado a los nombres de San Juan de la Cruz, de Fray Luis de León. Esto es absurdo", escribe Oreste Macrí ("El segundo tiempo de la poesía de Jiménez", en *La Torre,* julio-diciembre 1957, pág. 287). Sería, en efecto, absurdo querer atribuir a este libro los caracteres tradicionales de "la mística hispánica". Pero es evidente un recuerdo de la obra literaria, del lenguaje, de los místicos españoles. Y en cuanto a Fray Luis, el propio Macrí dice, en el mismo artículo: "Los 'nombres de Cristo' de Fray Luis de León parecen vueltos 'a lo profano' ".

…udo ligados a los anteriores, en los que él advierte, …e da cuenta, que toda su vida "desde mi infancia des…inada", no había sido sino un prepararse para esa "gran visión". Todo fue búsqueda, y búsqueda siem…re de lo mismo: "Si yo he salido tanto al mundo / …a sido sólo y siempre / para encontrarte, deseado …ios…" (pág. 981). Y por eso luego, en las "Notas", …nsiste en afirmar que "todo mi avance poético en la …oesía era avance hacia dios, porque estaba creando …n mundo del cual había de ser el fin un dios". Y …ambién: "Hoy pienso que yo no he trabajado en …ano en dios".

V, *El dios que ya estaba:* Con bastante frecuencia …ice que ese dios ahora encontrado ya estaba, ya es…uvo allí, en la cometa del niño, en el cielo azul de …Ioguer, en el amor; pero que él entonces no lo sa…ía, no tenía conciencia de ello, es decir, no sabía que …so era ya dios ("En este pozo diario estabas tú con…nigo / conmigo niño, joven, mayor, y yo me ahoga…a / sin saberte…", pág. 1015; "Entre aquellos jera…ios, bajo aquel limón, / junto a aquel pozo, con aque…la niña, / tu luz estaba allí, dios deseante; / tú esta…as a mi lado, / dios deseado, / pero no habías entrado …odavía en mí", pág. 1006).

VI, *El fondo "de aire":* Sólo unas cuantas veces, y …uego en el poema final, habla del "fondo de aire", o …ice que él es "animal de fondo". Pero es importante …ratar de aclarar lo que quiere decir con ello, pues por …lgo es lo que da el título al libro. Se trata desde lue…;o de un concepto bastante ambiguo. Por algo tam…ién cambió él luego este título por el de *Dios de…eado y deseante,* que expresa mucho mejor y con …nayor claridad el contenido del libro.

El "fondo" parece ser, a veces, el mundo externo, el *fuera,* el lugar donde él se encuentra; y por eso se refiere a veces al "fondo" en que él *está.* Pero en otras ocasiones el "fondo" parece ser el alma, su conciencia, el *dentro;* y por eso dice, en esas ocasiones, que él *es* animal de fondo, esto es, un animal con fondo de aire, con alma, ya que ese fondo "es el pozo sagrado de mí mismo", como dice en el poema último, titulado precisamente "Soy animal de fondo", y el cual empieza así:

"En fondo de aire" (dije) "estoy",
(dije) "soy animal de fondo de aire" (sobre tierra),
ahora sobre mar...

Está, pues, "en fondo de aire" y al mismo tiempo *es* "animal de fondo de aire". Al decir que es animal *de* fondo de aire, podría entenderse quiere decir que, como hombre que es, está hecho para vivir cercado por ese "fondo de aire", por ese incitante horizonte —la trascendencia— que ante todo hombre aparece. Si fuera así, el "fondo de aire", en el segundo caso, querría decir lo mismo que en el primero: el fuera, el mundo en torno. Pero como ya hemos dicho, es evidente que a veces el fondo es "el pozo sagrado de mí mismo". El "fondo" es pues, según parece, las dos cosas, el fuera y el dentro, el alma y el mundo que rodea al hombre.

Ahora bien, ¿por qué "de aire" ese fondo? Cuando el fondo es el alma, la conciencia, ello se comprende bien: ese fondo es "de aire" porque es la parte espiritual, inasible, de él. Mas, ¿por qué "de aire" cuando ese *fondo* es el fuera, el mundo? Quizás porque ese fuera que él descubre al abrir sus ojos, lo percibe desde dentro, desde su conciencia, como algo cuya realidad objetiva es, para el que percibe, inalcanzable. Su posición sería, pues, la del idealista puro; el mundo externo aparecería ante él como un sueño, como un mágico telón de fondo, inasible —*la cosa en sí* inasible—, y por eso "de aire".

El, en suma, aunque animal, *es* animal de espíritu, hombre, animal con fondo *de aire; y está* en ese mundo que, percibido desde su conciencia (el único modo de percibir), es "aire" también, también espíritu. Y así en el título "Animal *de* fondo" (de fondo de aire), se sintetizaría el doble concepto: animal *con* fondo de aire, con alma, y, al mismo tiempo, animal *en* fondo de aire, es decir situado en ese mundo fantasmal que nuestra conciencia descubre.

Esta explicación parecerá, y es sin duda, complicada; pero es la mejor que he podido encontrar, y creo corresponde al texto, a los diversos textos, cosa que no ocurre siempre con otras explicaciones que se han aventurado.

Y ahora vamos a ver uno a uno los poemas que, con razón, no han resultado siempre claros para todo el mundo, ni mucho menos [60].

---

[60] Sobre este libro se han dicho bastantes cosas peregrinas y enigmáticas. Pero los más de los críticos se limitan a citar algunos versos como si fuera innecesaria toda explicación. Algunos reconocen con franqueza no entender nada. No entender, al primer golpe, es en este caso lo natural. Yo, la primera vez que leí *Animal de fondo,* hace años, me quedé tan desconcertado como G. Torrente Ballester, que dice: "Ante él, tenemos que preguntarnos, estupefactos, qué son y qué sentido tienen sus versos y sus prosas para nosotros. Y después de convencernos que no tienen ninguno, nos preguntamos qué sentido tendrán para su autor" (*Panorama de la literatura española contemporánea,* ed. Guadarrama, Madrid, 1950,

161

No vamos a "explicar" palabra a palabra cada verso; pero sí, siempre que ello sea posible, los versos principales, esenciales o más oscuros, atendiendo siempre al sentido total del poema, a lo que el poema *dice*. No es siempre fácil, como se verá, reducir a pensamiento el mensaje de estos poemas. Y, se dirá quizás, tampoco es necesario. No es imprescindible, en efecto, reducir a términos racionales lo que el poeta ha dicho de un modo imaginativo, sintético y eficaz, y hemos logrado nosotros captar de algún modo, adivinar, sentir. Pero claro es que resulta imposible sentir adecuadamente si —como ocurre a muchos con estos poemas— no se ha entendido nada, o se ha entendido todo muy torcidamente. Es preciso en ese caso, como ya dijimos al principio, apuntar por medio de razones al sentido para que pueda ser recibido, ya sin razones, el mensaje poético. Y aun cuando se haya recibido el mensaje, sin razones, de un modo adecuado, no creo esté de más, de vez en cuando, hacer el intento de poner en prosa

pág. 229). Con mucha razón dice, más recientemente, F. Garfias: "A simple vista es un libro extraño, cerrado, brumoso. Es preciso, para llegar a su esencia, amor y afanosa lectura. Es preciso, sobre todo, antecedentes" (*Op. cit.*, pág. 180). Y no muchos han hecho, creo yo, esa "afanosa lectura". Dice L. F. Vivanco: "No pretendo ahora entrar en el comentario detallado de un libro tan necesitado de él" (*Introducción...*, *Op. cit.*, pág. 70). A pesar de lo que Vivanco dice, en su trabajo, así como también en los de R. Gullón, E. Florit, Concha Zardoya y otros, he encontrado yo valiosos atisbos que me sirvieron de punto de partida para este estudio. Algo de lo esencial se había ya visto. Seguramente hay interesantes observaciones en los artículos de Antonio Vilanova y Ramón Gaya, que no he podido consultar, y quizás también en algún otro trabajo del que no tengo noticia. Un estudio más detenido de este libro que todos los que conozco, y en mi opinión de los más valiosos, es un largo ensayo, aún inédito, de A. Sánchez-Romeralo, de la Universidad de Wisconsin.

lo que el poeta ha dicho en verso: explicar en suma, racionalmente, hasta donde es posible, eso mismo que primero se ha adivinado. Después de este ejercicio, al volver a la poesía, se recibirá sin duda con más vigor y nitidez el mensaje, y se admirará con más justificación. Claro es que tratándose de poemas como éstos, lo menos expuesto es no explicar nada —ya que la poesía es misteriosa e inefable de por sí—, o hacer como si todo estuviera muy claro y fuese innecesaria toda explicación. Precisar lo que Juan Ramón dice en ciertos poemas de *Animal de fondo* es, desde luego, arriesgado, aun después de la larga preparación que ya hemos hecho. Pero vamos a intentarlo.

El 1, "La transparencia, dios, la transparencia" (págs. 963-964), es como un canto a ese dios encontrado. No hay en él paisaje; no se dice, como otras veces luego, que dios sea el mar, que *esté* en el mar. Parecería, pues, este poema de un misticismo "ortodoxo" casi, si no fuera porque, en la segunda estrofa, se lee eso que ya citamos: "No eres mi redentor, ni eres mi ejemplo..." Empieza así:

> Dios del venir, te siento entre mis manos,
> aquí estás enredado conmigo, en lucha hermosa...

Con "enredado" y "lucha" alude, obviamente, a su apasionado envolvimiento con ese dios. Pero es menos claro que quiera decir con dios "del venir". Seguramente quiere decir que no está *ahí* simplemente, sino que llega, está llegando; que va revelándose, despertándole, envolviéndole al llegar. Del mismo modo dice, más adelante, "al fin, te deseo", aunque inmediatamente agrega: "porque estás ya a mi lado". Y es que lo desea porque está ya a su lado, en su "eléctrica zona"; porque le siente; y lo siente entre sus manos porque está viniendo. Y por eso dice: "Dios del venir…".

El verso antepenúltimo, que repite el título ("la transparencia, dios, la transparencia"), expresa quizás mejor que otros sus estado de alma. Ese verso sigue al amoroso nombrar ya antes mencionado ("Eres la gracia libre, / …el fondo del amor, / el horizonte…"). Mas tal tono apasionado contrasta con ciertas reflexiones diseminadas en el poema.

Hay el asunto de la *justificación* de su vida: "Toda mi impedimenta / no es sino fundación para este hoy". O, en el verso último: "en el mundo que yo por ti y para ti he creado". Y también: "Todos mis moldes llenos / estuvieron de ti…". Aunque en este verso se mezcla al tema de la justificación ese otro de que *dios ya estaba,* ya estuvo, cerca de él, aunque él no lo supiera.

No se menciona en este poema al dios "deseado" o al "deseante", pero hay los versos siguientes, que ya antes citamos:

> eres dios de lo hermoso conseguido,
> conciencia mía de lo hermoso.

El dios deseante, fuera de él, no es sino ese "dios de lo hermoso conseguido"; y el deseado, el de dentro, ese dios que es "conciencia mía de lo hermoso".

Más unidad tiene el poema 2, "El nombre conseguido de los nombres" (págs. 965-966), que es sobre todo una reflexión sobre su hallazgo. Empieza recordando su búsqueda anterior, es decir, empieza con el asunto de la *justificación:*

164

Si yo, por ti, he creado un mundo para ti,
dios, tú tenías seguro que venir a él,
y tú has venido...
....
a todo yo le había puesto nombre
y tú has tomado el puesto
de toda esta nombradía.

Sigue luego una larga estrofa en la que se recrea en su hallazgo, en la *paz conseguida:*

Ahora puedo yo detener ya mi movimiento,
como la llama se detiene en ascua roja
con resplandor de aire inflamado azul,
en el ascua de mi perpetuo estar y ser;

Esta es la paz "en dinamismo" que él decía, que él buscaba; el ascua viva, sin consumirse, que aspiraba a ser.

Los cuatro versos que siguen, difíciles, se refieren indudablemente a la misma *paz,* aunque esto se mezcle a una alusión al éxtasis:

ahora yo soy ya mi mar paralizado,
el mar que yo decía, mas no duro,
paralizado en olas de conciencia en luz
y vivas hacia arriba todas, hacia arriba.

El es ahora mar, el mar, porque ese mar que ve se identifica con su conciencia, con su alma. Es mar "paralizado" porque ahora, llegado al fin de su carrera, puede detener ya su movimiento. Mas paralizado no quiere decir "duro" o seco. Está paralizado, pero "en olas de conciencia en luz"; en olas "hacia arriba", porque su alma se halla exaltada, a la vez que paralizada, en el éxtasis. Es el éxtasis, al cual ahí alude, el que le permite sentirse identificado con el mar, y su conciencia con las olas. Y si dice "mi mar" y "el mar que yo decía" es, me parece, porque recuerda el mar de su primer viaje a América, más de treinta años antes, el mar de que habla en el *Diario,* con el cual había querido, en vano, sentirse unido. Ahora ha logrado al fin su deseo, ya él es el mar, y por eso dice, feliz: "ahora yo soy *ya* mi mar paralizado, / el mar que yo decía...".

Está, en suma, recordando el pasado mar a la vez que viendo el mar movible y sintiendo su conciencia exaltada, como paralizada en el éxtasis, en la identificación con ese mar que contempla. Y esta visión, esta emoción compleja es la que nos transmiten, una vez desvelados, esos cuatro versos a primera vista oscuros.

En lo que sigue, del mismo poema, repite que todos los nombres "que yo puse" al universo "se me están convirtiendo en uno y en un / dios". Es decir que está encontrando el dios que siempre había buscado. Y fijémonos de nuevo en ese "se me están convirtiendo" que da al fenómeno, a su experiencia, un carácter vivo, activo.

En el verso penúltimo indica que hubo sorpresa, salto, cuando llegó lo que buscaba hacía tanto, Dios, ya que dice fue creado "por gracia y sin esfuerzo", esto es, milagrosamente. No fue, pues, situado allí por decisión suya, de Juan Ramón, como piedra final que rematase el edificio de su pensamiento. El preparó el camino, pero quien llegó no fue tan sólo proyección de su deseo. Fue algo superior a ese dios que en diferentes ocasiones él había invocado, nombrado de modos diversos. Fue quien llegó, nos dice en el último verso:

166

"El Dios. El nombre conseguido de los nombres". Y, excepcionalmente, usa aquí mayúscula al nombrar a "Dios".

El 3, "De nuestros movimientos naturales" (páginas 967-968), es un poema oscuro. Es también una visión, una intuición de dios en el mar, como en el poema anterior. Un "dios" que está ahí como latente, deseante, en espera de "mi paso", en espera de "nuestros movimientos". Empieza:

> No sólo estás entre los hombres,
> dios deseado; estás aquí también en este mar
> (desierto más que nunca de hombres)
> esperando su paso natural, mi paso,
> porque el mar es, tan olvidado,
> mundo nuestro de agua.

Ese dios deseado, que siempre él buscó, está ahora ahí, en el mar. Y está "esperando", anhelante, deseante. Que el mar es "mundo nuestro de agua" debe querer decir que el mar, aunque de agua, es también, como la tierra, "mundo nuestro"; y por eso puede el mar, el dios en ese mar, esperar, como la tierra, el paso de los hombres. Ciertamente, si eso es lo que dicen los dos últimos versos, son versos un tanto retóricos e inútiles.

Más interesante es observar que si primero dijo, claramente, que dios está en el mar ("estás... en este mar"), más adelante dice que en ese mar dios *se está formando*. Continúa así el poema:

> Aquí te formas tú con movimiento
> permanente de luces y colores,
> visible imajen de este movimiento
> de tu devenir propio y nuestro devenir.

167

Aquí te formas
hecho inquietud abstracta, fondo
de esa conciencia toda que eres tú.

Se está formando dios identificándose con el mar,
con el movimiento, luces y colores del mar. El mar
así, con su movimiento, es la "visible imajen" del
"devenir propio" de dios. Pero esto de la "visible imajen" resulta ambiguo. Podría pensarse que simplemente *compara* el mar con dios, el movimiento de las olas
con el devenir "propio" de dios. En este caso resultaría
que el mar y dios eran cosas distintas, separadas. Mas
él dice antes, y repite luego, insistentemente, que dios
está en el mar, que se está formando en el mar. Al
decir, pues, "visible imajen" no quiere decir que el
mar recuerde a dios, se parezca a dios, sino que el mar,
que es dios, pone de manifiesto, hace visible el devenir propio de dios.

Dios está ahí en el mar "hecho inquietud abstracta"; materializada su inquietud, su movilidad, en
las olas. Y el mar, dios, es así como un "fondo" que
está ahí, visible. Pero como dios es al mismo tiempo
la "conciencia toda", por eso dice, dirigiéndose a ese
dios, que está formándose "hecho inquietud abstracta,
fondo / de esa conciencia toda que eres tú".

Por otra parte también dice, en esos mismos versos que hemos citado, que el mar es "visible imajen" de "nuestro devenir", es decir imagen de nuestra
alma, del devenir de nuestra conciencia, de su conciencia. Y se plantea igualmente la duda de si compara
simplemente el mar, la movilidad del mar, con el devenir de la conciencia, o hay, igual que con dios, una
identificación del alma con el mar, en cuyo caso que-

rría decir que el mar hace visible, objetiva y materializa, nuestro devenir. Si nos atenemos a lo que él dice en otros poemas de este mismo libro en cuanto a la identificación del alma con el mundo externo, del dios deseado con el deseante, nos inclinaríamos a pensar que él no compara, sino que dice que el alma, su conciencia, es el mar, está en el mar, como dios, y con dios. Pero en verdad, en este poema, en ningún momento indica que haya tal identificación de su alma con el mar que contempla. El mar se identifica con dios; pero es, en cambio, sólo *imagen* del alma, algo que *recuerda* al alma. Esto se ve claro en los versos que siguen:

Estás aquí en el mar, como formado ya del todo,
como en espera, en plena fe
de nuestros movimientos naturales.
Aquí estás en ejemplo y en espejo
de la imajinación, de mi imajinación en movimiento.

Aquí repite que dios *está* en el mar, y anhelante de él, "en espera" de sus movimientos. Pero en cuanto a su alma, a su "imajinación en movimiento", sólo dice, otra vez, que el mar, dios en el mar, es ejemplo de ella, "espejo" de esa imaginación, imagen de ella. Su alma, pues, no está aún en el mar, no está aún fundida con el mar; aunque el mar, con su movimiento, la recuerde. Y aunque dios en el mar la busque y la llame, la espere.

Y en los tres últimos versos ya no habla de su alma, del devenir de su conciencia ni de su imaginación, sino únicamente de dios que está *ahí*; no sólo ya en el mar, sino en el aire también o en la nube encendida:

> estás en elemento triple incorporable,
> agua, aire, alto fuego,
> con la tierra segura en todo el horizonte.

En suma: al mirar ve, siente, que dios está en el mar, y en el aire también, en todo. Está ahí como llamándole, como en espera de él, de su alma, cuya movilidad el mar evoca. No se nos da, pues, en este poema, el éxtasis, sino más bien el momento que le precede. Es el momento en que dios está formándose, naciente, y como clamando. No se habla aquí de la emoción del éxtasis cuando ésta ya ha pasado, sino cuando va a ocurrir. De ahí la dificultad de este poema, aumentada por la ambigüedad, el doble sentido, de la palabra "imajen".

El 4, "En mi tercero mar" (págs. 969-970), empieza:

> En mi tercero mar estabas tú

El mar ése, "tercero", es sin duda el de su viaje en 1948. Y dice "estabas", como quien recuerda, aunque habla luego en presente. En la segunda estrofa aparece el tema, que decíamos se repite a menudo, de la presencia anterior de Dios, en el amor, aunque él no lo supiera ("sino que los que te miramos no te vemos hasta un día"). Luego se refiere a la plenitud ahora sentida ("El amor más completo, amor, tú eres"), y a su estado de gracia, a ese "gran saber" propio "de quien, como yo ahora, todo, en luz, lo sabe". Y acaba así:

> Lo sabe pues lo supo más y más;
> el más, el más, camino único de la sabiduría;
> ahora yo sé ya que soy completo,
> porque tú, mi deseado dios, estás visible,

estás audible, estás sensible
en rumor y en color de mar, ahora;
porque eres espejo de mí mismo
en el mundo mayor por ti, que me ha tocado.

En esta estrofa se mezcla el tema de la justificación de su vida ("lo sabe pues lo supo más y más…"), con el de la paz conseguida ("ahora yo sé ya que soy completo") y con el del encuentro con dios, o éxtasis, o sea con el de la unión del dios deseado y el deseante (el dios "deseado" está ahora "visible", está "sensible").

Ese dios de fuera, encontrado, es "espejo de mí mismo", dice de nuevo, con ambigüedad otra vez en lo del "espejo". Y señala que esa visión la alcanzó por gracia, pues habla del "mundo mayor" que le ha "tocado", y ello "por ti", por Dios.

En el 5, "Todas las nubes arden" (págs. 971-972), expresa de nuevo, con menos divagaciones y reflexiones que en otros poemas, su exaltada visión. Empieza:

Todas las nubes arden
porque yo te he encontrado,
dios deseante y deseado…

Todas las nubes, agrega, vienen "a abrazarse con vueltas de esperanza / a mi fe respondida". En un paréntesis agrega:

(Mar desierto, con dios
en redonda conciencia
que me habla y me canta,
que me confía y me asegura;
....
de encuentro repetido)

171

Dios está en todo el mar que le rodea, como en un círculo. Y como ese dios, además de externo, deseante, es el de dentro, su conciencia, por eso dice: "dios / en redonda conciencia". Los versos que siguen, en el mismo paréntesis (que hemos sustituido por puntos) dicen al parecer lo que ya se indica en los que se citan: que ese mar que le "canta", le "asegura" un "encuentro repetido". Esto es, que ese momento de gloria que ahora siente no es cosa pasajera, sino algo que se repetirá otros días.

Y termina luego, en arrebato, con estos versos:

> Todas las nubes que existieron,
> que existen y que existirán,
> me rodean con signos de evidencia;
> ellas son para mí
> la afirmación alzada de este hondo
> fondo de aire en que yo vivo;
> el subir verdadero del subir,
> el subir del hallazgo en lo alto profundo.

Es ésta una de las pocas veces en que se refiere al "fondo de aire". Fondo, dice esta vez, en el que él *vive*, en donde él está. De ese fondo de aire, que es el mundo externo, en el cual él antes en vano buscaba a Dios, las nubes son ahora "la afirmación alzada", porque en ellas parece concentrarse el milagro, la emoción de ese encuentro suyo con el dios-naturaleza. Su alma sube hacia ellas y por eso habla del "subir verdadero" y del "hallazgo en lo alto profundo".

El 6, "La fruta de mi flor" (págs. 973-974), es uno de esos varios poemas en que se mezclan alusiones a su estado de gracia —éxtasis— con reflexiones sobre ese estado y sobre su vida anterior. Básicamente dice que dios está ahora dentro de él. Empieza con unos versos muy bellos y expresivos, que no creo necesiten explicación alguna:

> Esta conciencia que me rodeó
> en toda mi vivida,
> como halo, aura, atmósfera de mi ser mío,
> se me ha metido ahora dentro.
>
> Ahora el halo es de dentro
> y ahora es mi cuerpo centro
> ....
> lo mismo que la fruta, que fue flor
> de ella misma, es ahora la fruta de mi flor.
>
> La fruta de mi flor soy, hoy, por ti,
> dios deseado y deseante...

Y agrega que él ahora está "verde, florecido, fruteado, / ...y verdecido / otra vez (estación total toda en un punto)". Todas sus estaciones, fases, se han concentrado ahora en ese "punto", en ese estado nuevo suyo de fruto maduro en que alcanza la "estación total" antes anhelada. Que toda su vida fue preparación, flor, para ese momento fructífero, lo dice al escribir, siguiendo con la metáfora, que la "semilla" de esa fruta que él es hoy es "su antiguo corazón". Y acaba: "Dios, ya soy la envoltura de mi centro, / de ti dentro". Es decir, que él tiene un fondo, un alma, un centro, y que ese dentro es dios: "ti dentro".

El 7 es breve y tampoco necesita mucha explicación. Se llama "Conciencia plena" (pág. 975) y el título indica perfectamente el contenido. No identifica en forma tan precisa como otras veces a dios con el

mar. Simplemente él navega, y ante el agua, el cielo
y el viento, exaltado, satisfecho, "casi" cree escuchar
la voz divina:

> Tú me llevas, conciencia plena, deseante dios,
> por todo el mundo.
>   En este mar tercero,
> casi oigo tu voz; tu voz del viento
> ....
> Tu voz de fuego blanco
> en la totalidad del agua, el barco, el cielo,

Esa voz, ese dios, dice él a continuación, va "li-
neando las rutas con delicia", y con ello expresa esa
sensación de abandono, de confianza, que debió sentir
en la cubierta algún día. Fue como si se sintiera llevado por un camino que Dios, sabiamente, había tra-
zado para él. Y a esa confianza y paz se refieren también los tres versos que siguen, que seguramente se
entienden lo bastante:

> grabándome con fúljido mi órbita segura
> de cuerpo negro
> con el diamante lúcido en su dentro.

El es el cuerpo negro, con el diamante —dios, luz—
dentro, llevado, movido ahora no al azar sino en "órbita segura".

El 8, "Al centro rayeante" (págs. 976-977), parecido al anterior, se entenderá sin dificultad. Otra vez
el barco, el abandono, la nube, la proa; y dios en
todo, conduciéndole:

> Tú estás entre los cúmulos
> oro del cielo azul
> ....

174

> dios deseante y deseado;
> estas formas que llegan al cenit
> sobre el timón, adelantadas, y acompasan
> el movimiento escelso, lento,
> insigne cabeceo de una proa,
> ....
> Tú vienes con mi norte hacia mi sur,
> tú vienes de mi este hacia mi oeste,
> tú me acompañas, cruce único, y me guías
> entre los cuatro puntos inmortales,
> dejándome en su centro siempre y en mi centro
> que es tu centro.

Al sustituir puntos *cardinales* por "inmortales", indica claramente lo que ya se advierte en los versos anteriores: que está hablando de un estado de gracia, de su salvación. Como el barco en que va, se siente guiado; orientado siempre hacia dios, hacia "su centro", y al mismo tiempo hacia dentro de sí, hacia el alma, "mi centro", que es también el centro de dios. Es la unión del dios deseado con el deseante, el éxtasis, de que habla también en los versos que siguen:

> Todo está dirijido
> a este tesoro palpitante,
> dios deseado y deseante,
> de mi mina en que espera mi diamante;
> a este rayeante movimiento
> de entraña abierta (en su alma) con el sol
> del día, que te va pasando en éstasis,
> a la noche, en el trueque más gustoso
> conocido, de amor y de infinito.

Y así se entiende que ese "centro rayeante" del título, hacia el cual todo va "dirijido", no es sino su alma en "éstasis", donde se verifica ese gustoso (o *sabroso*, como diría Santa Teresa) trueque "de amor y de infinito", del alma con Dios.

En el 9, "Lo májico esencial nombrado" (pág. 978), descubre lo "májico esencial" en la claridad que la luna, de pronto, lanza sobre el mar:

> En esa islá que la luna,
> tras una nube negra, echa al mar lejano,
> estás tú, como espejo caído luna arriba,

Esa "isla" es el "oasis" de su "limpio ideal" y, a la vez, "reflejo de ti". Reflejo, dice él ahora, aunque antes dijo que en esa isla "estás tú". Reflejo de ti, agrega, en "conciencia", es decir en su alma. En esa luz sobre el agua ve él, en suma, fundidos, el "dios deseado y deseante". Y así acaba:

> conciencia diosa una,
> disfrutadora y disfrutada mía,
> disfrute de lo májico esencial nombrado.

Es "conciencia", pero hecha ya "diosa". Es conciencia de la que él disfruta ("disfrutada mía"), pero a la vez esa conciencia-diosa es "disfrutadora". *Disfrutada* y *disfrutadora* corresponden a deseado y deseante, ya que esa conciencia no es sino el "dios" de otras veces. El dios ya conseguido, y por eso disfrutado, y no sólo deseado.

El 10, "Conciencia hoy azul" (págs. 979-980), es, aunque quizás a primera vista no lo parezca, un poema bastante difícil. Diríase que habla de lo mismo que en muchos otros, del éxtasis; pero su verdadero estado de alma en esa mañana azul a que el poema se refiere,

176

es en realidad otro. Se trata más bien de una exaltación que siente viendo el cielo y el mar, la cual es *capaz de* llevarle al éxtasis. Y hay por otro lado, y eso es bien claro, el recuerdo de otras lejanas mañanas azules, en Moguer; y con ellas el recuerdo de un viejo poema suyo muy conocido, el primero de *Baladas de primavera,* que empezaba "Dios está azul...", lo cual cita como encabezado del nuevo poema, agregando: "Antes". Empieza ahora así:

> Conciencia de hondo azul del día, hoy
> concentración de transparencia azul;
> mar que sube a mi mano a darme sed
> de mar y cielo en mar,
> en olas abrazantes, de sal viva.

Percibe ese "hondo azul del día", pero no hay éxtasis. Sólo una *sed* "de mar y cielo". Y después de esto vienen los versos difíciles:

> Mañana de verdad en fondo de aire
> (cielo del agua fondo
> de otro vivir aún en inmanencia)
> explosión suficiente (nube, ola espuma
> de ola y nube)
> para llevarme en cuerpo y alma
> al ámbito de todos los confines,

La "mañana de verdad" es esa misma de que habla al principio, la de ahora, la del barco. Esa mañana azul que él percibe en "fondo de aire". Y luego viene el primer paréntesis. En él, el "fondo" ya no es el fondo de aire de otras veces, sino simplemente el horizonte, el "cielo del agua", como una llamada al infinito, algo que sugiere "otro vivir". Mas ese vivir dife-

177

rente, entrevisto, está "aún" —y esto es lo importante—, a pesar de su exaltación en esa mañana azul, está aún "en inmanencia", dentro de él, como un sueño. Es decir, es algo percibido, pero no poseído. No está él aún fuera de sí, junto con ese fondo que ve. No hay, en suma, unión, éxtasis, que consiste en la identificación del dentro con el fuera. Y esto tiene que ver, claro es, con lo que antes dijo de que el mar le daba "sed", sólo sed, de "mar y cielo".

Ahora bien, a pesar de esa limitación, de ese estado anhelante suyo, y no de éxtasis, inmediatamente agrega que esa "mañana de verdad", en el barco, esa conciencia del "hondo azul", es "explosión suficiente" para llevarle "al ámbito de todos los confines". Esto es: que la visión del mar (esa "nube, ola espuma", que menciona en el segundo paréntesis) es algo *capaz de* llevarle a la trascendencia, a los confines, a ese mismo fondo que dice está aún sólo en inmanencia. Y lo que sigue resulta ahora claro: esa "explosión", esa emoción suya de ahora, es bastante fuerte para que él pueda llegar

> a ser el yo que anhelo
> y a ser el tú que anhelas en mi anhelo,
> conciencia hoy de vasto azul,
> conciencia deseante y deseada,

Y aquí está ya *aludiendo* al éxtasis, a su deseo de ser "el yo que anhelo" y, a la vez, "el tú" (que anhelas). Habla pues de la posibilidad, en esa mañana, de la cercanía que siente, de un éxtasis, que aún no ha alcanzado.

Después siguen estos versos, los últimos, que son sólo un recuerdo de sus otras mañanas azules, de aquel dios que entonces ya estaba:

> dios hoy azul, azul, azul y más azul,
> igual que el dios de mi Moguer azul,
> un día.

El 11, "Sin tedio ni descanso" (págs. 981-982), es también uno de los más oscuros. No ofrece dificultad la primera estrofa, donde aparece el tema de la justificación de su vida ("Si yo he salido tanto al mundo, / ha sido sólo y siempre / para encontrarte, deseado dios, / entre tanta cabeza y tanto pecho / de tanto hombre"). Y también es clara la estrofa final:

> Y yo poseedor, enmedio, ya,
> de tu conciencia, dios, por esperarte
> desde mi infancia destinada,
> sin descanso ni tedio.

Aquí mezcla una alusión al éxtasis ("poseedor... / de tu conciencia, dios") con el recuerdo de su vida pasada, de su pasado esfuerzo ("por esperarte / desde mi infancia... / sin descanso"), y con la sensación de paz conseguida ("ya").

Pero las otras tres estrofas son para mí de interpretación más dudosa. Dice la segunda:

> (Ciudad jigante, gran concurso,
> que a mí vuelves en espejismo gris de agua,
> en este sol azul del sur de luz,
> de este dios deseante y deseado,
> ojos y ojos y ojos
> con destellos movientes instantáneos
> de lo eterno en camino.)

Habla aquí de los reflejos del sol en el agua ("ojos y ojos / con destellos movientes"); habla del mar, que es el dios... Pero, ¿qué tiene ahí que ver la "ciudad"? Al comenzar habló de su búsqueda de dios, antes, entre "tanto hombre". Y a eso, por raro que parezca, debe referirse (es la mejor explicación que se me ocurre) lo de la "ciudad jigante" y el "gran concurso". El recuerdo de esa vida pasada suya, de búsqueda, el recuerdo de aquella "ciudad", vuelve a él en el mismo momento en que se recrea en su estado actual: el recuerdo del pasado se mezcla a la visión presente del mar. Por eso dice, refiriéndose a la "ciudad", que "a mí vuelves en espejismo gris de agua". Y sigue, con la tercera estrofa:

> ¡Tanto motor de pensamiento y sentimiento
> (negro, blanco, amarillo, rojo, verde
> de cuerpo) con el alma
> derivando hacia ti,
> deviniendo hacia sí,
> sucediendo hacia mí,
> sin saberlo o sabiéndolo yo y ellos!

Aquí creo que dice, aunque de un modo bien raro, lo que ha dicho ya otras veces: que todas sus actividades, pasiones, "pensamiento y sentimiento", se encaminaban hacia dios, un dios fuera de él que estaba también dentro ("hacia ti / ...hacia mí"). Y esos diferentes colores de su cuerpo, que menciona, son los que correspondían a los distintos estados de su alma, momentos diferentes, aunque en todos ellos buscara a dios.

La cuarta estrofa, más oscura, empieza: "Designio universal, en llamas / de sombras y de luces inquirientes...". Probablemente es *dios* el designio universal; y por hallarlo en el mar, con sus reflejos, dice lo de las llamas, y sombras y luces, y lo que sigue.

El 12, "Despierto a mediodía" (págs. 983-984), es en cambio muy claro y simple. Es la visión del mar, al mediodía, con el dios dentro. Ese mar

> me da mejor que nadie y nada tu conciencia,
> dios deseante y deseado

El pleno sol "llena" ahora el mar, como anoche lo llenaba la luna; y así como anoche "eras luna", ahora "el sol eres", pues tú, el mar, "eres todo". Y acaba nombrando, más que describiendo, esa plenitud sentida:

> Conciencia en pleamar y pleacielo,
> en pleadiós, en éstasis obrante universal.

Del 13, "La forma que me queda", y del 14, "Que se ve ser", referentes ambos a su reencuentro con dios al amanecer, me ocuparé, atendiendo a sus valores estéticos y no sólo al asunto, en la parte segunda de esta obra.

El 15, "Con la cruz del sur" (págs. 987-988), es, sobre todo —desde su alto estado de hoy, desde su "inocencia última"—, un recuerdo de su niñez; o, más bien, del mundo mágico de su niñez, del dios entonces presentido. Empieza por una contemplación del cielo:

> La cruz del sur se echa en una nube
> y me mira con ojos diamantinos

Inmediatamente viene el recuerdo, el tema de que dios ya estaba, ya estuvo entonces:

181

Estuvo, estuvo, estuvo
en todo el cielo azul de mi inmanencia;
eran sus cuatro ojos la conciencia
limpia, la sucesiva solución de una hermosura
que me esperaba en la cometa,
ya, que yo remontaba cuando niño.

Mucho se concentra en estos bellos versos, pero lo que en síntesis dice es claro: El dios que siente esta noche viendo las estrellas, era ya aquel dios en cielo azul; los ojos de dios son ahora las estrellas de la cruz del sur, como entonces lo eran las cuatro puntas de la cometa; y esos ojos, ese dios, se identifica con la "conciencia limpia", el dentro, y con la hermosura "sucesiva", fuera, ya de niño presentida.

En la siguiente estrofa piensa, con alborozo, que ha conseguido al fin lo que buscó: "Y yo he llegado, ya he llegado". Llegó ya a esa jornada, dice, "del dios consciente de mí y mío", es decir, del dios deseado y el deseante unidos. Y luego agrega unos versos un tanto retóricos, que vienen a ser como eco de oraciones infantiles. Ha llegado a besar a ese dios:

a besarle los ojos, sus estrellas,
con cuatro besos solos de amor vivo;
el primero, en los ojos de su frente;
el segundo...

Siguen estos versos simples, clave del poema:

La cruz del sur me está velando
en mi inocencia última,
en mi volver al niñodios que yo fui un día
en mi Moguer de España.

Y acaba, con menos simplicidad, diciendo que una "madre callada", bajo tierra, muerta, le sustenta "como me sustentó en su falda viva, / cuando yo remontaba mis cometas blancas", y con él, ella siente las estrellas de la "plena eternidad nocturna".

El 16, "En igualdad segura de espresión" (páginas 989-990), es un poema extraño, aunque no incomprensible : Un perro está ladrando mientras el poeta contempla las estrellas; se acerca luego el perro y él lo acaricia. Pero el principio no deja de ser sorprendente :

> ¿El perro está ladrando a mi conciencia,
> a mi dios en conciencia,
> como a una luna de inminencia hermosa?
>
> ¿La ve lucir, en esta inmensa noche,
> por la sombra estrellada de todas las estrellas
> acojedoras de su cruz del sur,
> que son como mi palio
> descendido por ansia y por amor?

Las estrellas son su "palio". Esa luz ha descendido a él "por ansia y por amor". La luz de las estrellas, sigue luego diciendo, eterniza "mi luz, mi misteriosa luz". Hay una relación entre la luz de dentro y la de fuera : "mi luz" es "hermana contenta de su luz". Habla pues aquí de lo de siempre, de la correspondencia entre su dios íntimo y la naturaleza o el universo, el dios que es la naturaleza o el universo. Y ahora se comprenderá por qué en los tres primeros versos del poema hace esa pregunta rara. El perro está ladrando a la luna escondida, a las estrellas. Pero como él identifica éstas con dios, y con su propia conciencia, por eso

pregunta si el perro está ladrando "a mi conciencia /
a mi dios en conciencia".

Y luego de haber hablado de la luz de las estrellas
y de su propia luz, en la forma que ya hemos visto,
vienen los versos finales, extraños también, pero comprensibles si se ha entendido lo anterior. El perro se
acerca y él lo acaricia, y se establece entre ambos una
"hermandad" que tiene relación con la que el poeta
siente con "la noche serena". Esa debe ser la igualdad
de "espresión" a que se refieren el título y el verso
final. Siente el poeta, en suma, una armonía con las
estrellas de la que hace participar también, en cierto
modo, al perro que ladraba. Dice así:

> El perro viene, y lo acaricio;
> me acaricia, y me mira como un hombre,
> con la hermandad completa
> de la noche serena y señalada.
> El siente (yo lo siento) que le hago
> la caricia que espera un perro desde siempre
> la caricia tranquila del callado
> en igualdad segura de espresión.

Del 17, "Esa órbita abierta", que trata del "dejarse
mecer en dios", nos ocuparemos en la segunda parte.

El 18, "En amoroso llenar" (pág. 993), breve, no
tiene, al principio, ninguna dificultad. Todos están ocu-
pados en el barco, cada uno con lo suyo, y él preocu-
pado con su dios:

> Todos vamos, tranquilos, trabajando:
> el maquinista, fogueando...
> ....
> el capitán, dictando; la mujer,
> cuidando, suspirando, palpitando.

184

...Y yo, dios deseante, deseando;
yo que te estoy llenando, en amoroso
llenar, en última conciencia mía,
como el sol o la luna, dios,
de un mundo todo uno para todos.

Fijémonos en eso, lo más difícil, de que él está "llenando" a *dios* "de un mundo todo uno"; es decir,
según entiendo: él está creando un mundo en que
dios y el hombre, la naturaleza y el espíritu, sean "todo uno", no estén separados; y ese mundo ha de ser
"para todos".

El 19, "Para que yo te oiga" (págs. 994-995), es
bastante distinto a los otros. Es como un eco de aquéllos del *Diario* en que hablaba de un mar ciego y sordo,
que no tiene conciencia de sí. Pero ese mar no espanta
ahora al poeta. El sabe que su misión es ver y oir
a ese mar, cantarlo:

Rumor del mar que no te oyes
tú mismo, mar, pero que te oigo yo
con este dios a que he llegado
con mi dios deseante y deseado
....
Para que yo te oiga, mi conciencia
en dios me abre tu ser todo para mí,

El mar, dice al terminar, canta una bella canción,
aunque ese mar no lo sepa,

pero que yo lo sé escuchándola; y la cuento
(para que no se pierda) en la canción
sucesiva del mundo en que va el hombre
llevándote, con él, a su dios solo!

185

En este poema aunque habla, como hemos visto, del "dios deseante y deseado" a que "he llegado" (y luego también dice que oye "con oído de dios") se encuentra en verdad mucho más lejos de dios, su dios, que en los otros. No identifica aquí a dios con el mar: el mar es sólo el mar, con sus rumores, que el mar no oye. Y esos rumores, esa belleza, es la que los poetas se encargan de recoger, a través de los tiempos, para que no se pierda. Esa "canción sucesiva" es el medio de ir "llevándote", llevando el mar, y el hombre, a su "dios solo". Se trata, pues, de un modo un tanto hegeliano, de una progresiva revelación de dios, un dios "solo", panteísta, que uniría al mar y al hombre. Este es el dios que él buscaba, y que en otros poemas de *Animal de fondo,* y en parte también en este mismo, da ya por encontrado en su experiencia mística.

El poema 20, "En lo mejor que tengo" (págs. 996-997), parece en cierto modo continuación, respuesta al anterior. Con arrebato habla otra vez, bella y simplemente, de este dios que descubre en el cielo, en la luz o en el mar:

Mar verde y cielo gris y cielo azul
y albatros amorosos en la ola,
y en todo, el sol, y tú en el sol, mirante,
dios deseado y deseante,
alumbrando de oros distintos mi llegada;
la llegada de éste que soy ahora yo,

Y luego, quizás pensando en su estado de ánimo el día antes y recordando el poema que acabamos de comentar, agrega: "de este que ayer mismo yo dudaba / de que pudiera ser en ti como lo soy".

Siguen unas reflexiones sobre su estado actual, sobre la gloria conseguida, y también sobre su vida anterior:

¡Qué trueque de hombre en mí, dios deseante,
de ser dudón...
....
a ser creyente firme
en la historia que yo mismo he creado
desde toda mi vida para ti!

Ahora llego yo a este término
de un año de mi vida natural,
en mi fondo de aire en que te tengo,

Al decir que ha llegado al término "de un año de mi vida natural", creo quiere decir que, como un astro alrededor del sol, ha dado ya la vuelta completa y vuelve a estar donde estuvo, a ser el niño inocente, creyente, que fue. Ese movimiento ha ocurrido en su interior, en su alma, y por eso dice "en mi fondo de aire". Y "en que te tengo" quiere, claro, decir: en el cual te tengo a ti, dios. Tiene ahora a dios dentro de sí. Pero como dios, además de estar en él está en el agua, por eso, en el verso siguiente, agrega: "encima de este mar, fondo de agua". A no ser quiera decir tan solo que él, con dios, navega encima de ese mar. A ese estado final, de éxtasis, a ese término, el dios le va llevando, le va "entrando". Y él entra

contento de ser tuyo y de ser mío
en lo mejor que tengo, mi espresión.

Y su "espresión" es aquí, seguramente, su obra, el poema mismo.

187

El 21, "El todo interno" (págs. 998-999), habla otra vez de la unión del dentro con el fuera, lo "interno" con el "todo", el dios deseado con el deseante. Y también dice que dios ya estuvo en el paisaje, en la belleza de otros días. Pero en cuanto a lo primero, confunde mucho al lector no avisado el repetido juego de palabras a base de ese *tú* que es *yo* y ese *mío* que es *tuyo*.

Empieza diciendo: "He llegado a una tierra de llegada". Es decir, ha llegado al encuentro con dios. Pero luego se refiere a "los tuyos" y "los míos", como si se tratara de los parientes de uno y otro en la estación. Dice así el rompecabezas:

> Me esperaban los tuyos, deseado dios;
> me esperaban los míos
> que, en mi anhelar de tantos años tuyos,
> me esperaron contigo,
> conmigo te esperaron.

Y sigue luego:

> ¡Y qué luz entre ellos:
> en un sol cenital imprevisto y sonllorante,
> sobre una aurora con sus torres contra rojo,
> en una noche de encantado desear,
> en una tarde de crepúsculo alargado

Aquí "ellos" son, al parecer, esos diversos momentos de belleza, momentos de hermosa luz a diversas horas, en otros días, en los cuales él adivinaba a dios o estaba con dios, aunque no lo supiera. Dios estaba en la luz de esos momentos bellos, y estaba a la vez en él, dentro de él. Y por eso dice, después de la enumeración: "qué tú entre ellos, en nosotros tú". Y vuelve luego al juego al escribir:

> qué elevación de ti en nosotros
> hasta llegar a ti,
> a este tú que te pones sobre ti

No es claro cuál es el sujeto de ese "te pones". Si es Juan Ramón, querría decir que él pone a ese dios por encima de sí: que lo inventa. Luego habla de llegar "por la escala" a esa "conciencia desvelada" en la cual se unifican "todos los astros con el todo eterno". Y resume, en el último verso: "El todo eterno que es el todo interno".

El 22, "Río-mar-desierto" (págs. 1000-1001), es un poema barroco, confuso, lleno de reflexiones y alusiones diversas, algunas bastante oscuras. Pero lo que domina, y da al poema su tono general, no es sino una consideración sobre ese estado suyo final; es un recrearse en esa *paz conseguida* que decíamos. Empieza: "A ti he llegado, riomar". Y con ese "riomar" alude a la unión de él con el todo, a la unión del "río de mi vida" con el mar. Ese mar es también "desierto" (por la razón que en seguida veremos), y por eso puede escribir a continuación estos versos gongorinos:

> desiertoriomar de onda y de duna
> de simún y tornado, también, dios;
> mar para el pie y el brazo,
> con el ala en el brazo y en el pie.

"Onda" (del mar) y "duna" (del desierto). El "mar para el pie" es el desierto, por el que se anda, y el mar para "el brazo" es el mar mismo, en el que se

189

nada. El pie y el brazo tienen "ala". Y el simún, en el desierto, y el tornado en el mar es alusión a sus propias luchas y tempestades. Mas con todo ello no ha dicho nada. Es ésta una de las pocas ocasiones, creo yo, en que cae francamente en barroquismo, adorno y encubrimiento inútiles, sin alcanzar por ello belleza de ninguna clase.

Sigue luego, comparándose con un río que encuentra el mar, que se une con el mar:

> Nunca me lo dijeron.
> Y llego a ti por mí en mi hora, y te descubro:
> te descubro con dios, dios deseante,
> ....
> como una gran visión que me faltaba.
>
> Tú me das movimiento en solidez,
> movimiento más lento, pues que voy
> hacia mi movimiento detenido;
> movimiento de plácida conciencia
> de amor con más arena,
> arena que llevar bajo la muerte
> ....
> Por ti,
> desierto mar del río de mi vida,
> hago tierra mi mar,

Como río que es, arrastra arena, y por eso convierte al mar en "tierra", en "desierto". Lo que quiera decir amor "con más arena" no lo sé con seguridad. Pero esa arena que el río lleva al mar debe ser su obra. Al final del poema se refiere a la obra, y en los últimos versos dice que ésta "no es ya la ola detenida, / sino la tierra sólo detenida / que fue inquieta, inquieta, inquieta".

En suma: está detenida su alma, el río, en el éxtasis, en esa etapa final; y está ya detenida también su obra, la arena que él llevó a ese éxtasis y que convierte en "tierra", en desierto, al mar.

El 23, "En la circumbre" (págs. 1002-1003), muy sencillo, dice que dios está en lo alto, pero que todos, de algún modo, lo presienten, lo "ven". Es una variante más del asunto *dios ya estaba*:

> Tú estás, dios deseado, en la circumbre,
> dominándolo todo,
> ....
> Todos te ven; todos te vemos:
> desde las azoteas...

Y sigue una larga enumeración. Te vemos desde "los balcones", "los cuartos de la intelijencia", "los cepos del instante bruto"... Y acaba:

> A todos llegas tú por tus mil lados;
> en todos vives tú con tus mil ecos;
> ....
> Porque tú amas, deseante dios, como yo amo.

En el 24, "Con mi mitad allí" (págs. 1004-1005), dice, con bastante retórica, lo mismo poco más o menos que otras varias veces ya ha dicho: que esta visión de ahora, del mar (un mar de color plateado, en las aguas del sur) le recuerda el mar lejano de su tierra; que esta "plata" es "respuesta" de aquella plata:

> ¡Mi plata aquí en el sur, en este sur,
> conciencia en plata lucidera, palpitando
> en la mañana limpia,
> ....

191

Mi plata, aquí, respuesta de la plata
que soñaba esta plata en la mañana limpia
de mi Moguer de plata,
de mi Puerto de plata,
de mi Cádiz de plata,
niño yo triste...

"Conciencia en plata lucidera", dice, porque su conciencia está *ahí*, palpitando, unida a ese luciente mar de plata. Y habla luego de la "conciencia plenitente" que "le faltaba", y que ha encontrado en "ultramar". Y acaba diciendo que está ahora alegre ("con mi mitad allí", en Huelva o Cádiz, "complementándome") porque "ya tengo mi totalidad".

El 25, "Tal como estabas" (págs. 1006-1007), tiene algunos muy bellos versos, pero es también sólo variación de un asunto, o asuntos, que ya hemos visto. Dios estaba ya *allí,* pero escapaba. Ahora dios ha entrado en él, ahora él ha captado su esencia y ha conseguido la paz. Empieza recordando:

En el recuerdo estás tal como estabas.
Mi conciencia ya era esta conciencia,
pero yo estaba triste...
....
Entre aquellos jeranios, bajo aquel limón,
junto a aquel pozo, con aquella niña,
tu luz estaba allí, dios deseante;
tú estabas a mi lado,
dios deseado,
pero no habías entrado todavía en mí

La esencia de dios "se me iba", dice luego; y sigue:

Y hoy, así, sin yo saber por qué,
la tengo entera, entera.
No sé qué día fue ni con qué luz
vino a un jardín, tal vez, casa, mar, monte,
y vi que era mi nombre sin mi nombre,

Y acaba diciendo que si un día se había cansado
de su nombre, ello fue porque él entonces no era quien
había querido ser:

porque no era este ser que hoy he fijado
(que pude no fijar)
para todo el futuro iluminado
iluminante,
dios deseado y deseante.

El 26, "En país de países" (págs. 1008-1009), es
quizás el más oscuro de todos los poemas de *Animal de
fondo*. Se entiende sin embargo, se adivina, que una
vez más está congratulándose de su hallazgo, de esa
seguridad ahora adquirida, de esa "conciencia de dios"
que es "presente fijo". Y ese congratularse, al parecer
ocurre mientras él está contemplando desde lo alto una
ciudad (¿Nueva York a su llegada en el viaje de regreso?). Los versos más claros son los tres últimos:

Un corazón de rosa construida
entre tú, dios deseante de mi vida,
y, deseante de tu vida, yo.

Pero abundan los versos extraños, no suficientemente explícitos; como éstos, con los que al parecer
trata de fijar las impresiones que la visión de la ciudad
le produce:

193

En estas perspectivas ciudadales
que la vida suceden, como prismas,
con su sangre de tiempo en el cojido espacio

....

creencia de fijados paraísos de fondo,

....

intercalado de verdores nuevos,
de niñas de color solar,
de cobre retenido en adiós largo,

....

Armoniosa suprema, ciudad rica
de arquitecturas graduadas que descifro yo
desde arriba, con ojos reposantes;
música de la cúbica visión de blancos sucedidos

....

¡Las arpas de la óptica alegría,

....

¡Qué abrirse de la boca de las rosas,
las rosas de la boca, en estas hojas

....

existir, existir mío
en suficiente estar aquí la vida entera!

Fijémonos que en este poema no habla ya del mar, de estar en el mar, como tampoco en el anterior, ni en los dos que siguen. Quizás debió escribirlos ya en tierra, a la llegada, cuando aún sentía en sí, vivo, ese dios descubierto, conquistado en el mar. Pero debió escribir muy pronto, en octubre quizás, este poema "En país de países", ya que apareció publicado en *La Nación* de Buenos Aires el 11 de noviembre de 1948.

El 27, "Por tanto peregrino" (págs. 1010-1011), publicado en *La Nación* el 21 de noviembre de 1948, trata de esa continuada presencia de dios, que siente en él y en todo; trata de la unión con dios:

194

La luz del mediodía
no es sino tu absoluto resplandor;
....

El estar tuyo contra mí
es tu secuencia natural; y eres
espejo mío abierto en un inmenso abrazo
....

mi imajen con tu imajen,
en ascua de fundida plenitud.

Y después viene la reflexión, el congratularse:

Este es el hecho decisivo
de mi imajinación en movimiento,
que yo consideraba un día sobre el mar,
sobre el mar de mi vida y de mi muerte,
el mar de mi esperada solución;
y éste es el conseguido
miraje del camino más derecho
de mi ansia destinada.

No sé que querrá decir el "miraje del camino más derecho". Quizás una mirada hacia atrás, hacia su "ansia destinada", lanzada ahora desde ese "conseguido" estado hacia el cual ella apuntaba. Pero en todo caso se entiende que habla de su contento por haber encontrado la esperada "solución", en aquel mar. Y, finalmente, lleno de optimismo y confianza, habla de la hermosura "que volvió, que vuelve y volverá", y de la "sucesión creciente de mi éstasis de gloria / ...la gloria tuya en mí, la gloria mía en ti". Lo que él logró —dice en el verso último, que explica el título— es lo "intentado", lo buscado "por tanto peregrino".

Del 28, "De compaña y de hora" —que trata todavía de su comunicación con dios, de su "confiado estar", aunque ya pasó la "música del pájaro del alba" y dios está ahora "con las alas cerradas"—, y del último poema del libro, el 29, "Soy animal de fondo", que trata aún de dios fuera y dentro, y del dios que ya antes estuvo, me ocuparé en la segunda parte.

Y ahora, visto ya de cerca el contenido de los poemas de *Animal de fondo*, es cuando cabe preguntarse si se trata o no de poemas místicos y, sobre todo, qué clase de misticismo es ése. Que Juan Ramón se refiere repetidamente a la unión experimentada por él de su conciencia, de su alma, con un dios fuera de él, de la naturaleza, de la belleza, me parece es cosa que resultará indudable a quien haya leído las páginas anteriores de este libro. Ahora bien, ¿puede llamarse a esto misticismo? ¿Y qué clase de misticismo sería? ¿Cómo se diferenciaría el suyo de otros misticismos, "ortodoxos" o no?

Acudamos, buscando la respuesta, a un estudioso no sectario, un buen conocedor —conocedor de primera clase y primera mano— de los caracteres esenciales y particulares del misticismo oriental y occidental. Me refiero a Rudolph Otto en su *Análisis comparativo de la naturaleza del misticismo*. Según él existen, fundamentalmente, "dos tipos de experiencia mística". Una "hacia adentro" y la otra "hacia afuera". Ambos tipos de misticismo a menudo se confunden, y se mezclan en el mismo místico. Pero es posible hacer una diferenciación: mientras el primero es sobre todo un "misticismo del alma", el segundo consiste en una "visión unificante". Pues bien, a este segundo tipo de misticismo hacia afuera, de visión unificante, es al que más se aproxima el de Juan Ramón, según hemos visto. En esta segunda clase de misticismo, sigue diciendo R. Otto, "toda otredad, como oposición, inmediatamente desaparece". Todo es uno y lo mismo. Y esta "unificación" de las cosas está relacionada con su "transfiguración", con el haberse ellas convertido en "transparentes, luminosas" (Recuérdese "La transparencia, dios, la transparencia", con que empieza Juan Ramón su libro). Y no se trata sólo de la "identificación de todas las cosas con todo", sino también "de la identificación del que percibe con lo percibido".

Juan Ramón no habla mucho, es cierto, de unificación, pero sí insiste, y ello sin duda es la esencia de su misticismo, en la identificación de su conciencia, el que percibe, con el objeto percibido, transfigurado. R. Otto cita unas líneas de Plotino referentes a una tal experiencia, y comenta: "La unión que aquí ha ocurrido no es aún la unión con Dios, sino la del yo con el objeto percibido en la unidad del mundo ideal". Y estas palabras podrían aplicarse perfectamente, creo yo, a muchas de las mejores estrofas de *Animal de fondo*. Mas en el caso de Juan Ramón habría que agregar, como peculiaridad, esa particular *apetición* del dios deseante: no ya apetición del yo, impulso hacia la cosa, sino apetición de la cosa, transfigurada, hacia el yo, hacia él, Juan Ramón.

Rudolph Otto distingue más adelante, en la misma obra, entre ese "misticismo del espíritu", en sus dos formas, a que ya nos hemos referido, y el que llama "misticismo de la naturaleza". Este último, que califica de "romántico", y el cual supone una moderna sensibilidad para la naturaleza, para el paisaje, tiene puntos de contacto con las otras dos formas de misticismo, especialmente con la del misticismo "hacia afuera". Pero no es lo mismo. El "misticismo de la naturaleza" no es sino un "sentirse sumergido en la unidad de la naturaleza", y no es más que un "naturalismo sublimado". Cerca de este misticismo puede estar, o parecer estar Juan Ramón, como otros, en ciertas ocasiones. Pero como ya dijimos y hemos visto, Juan Ramón no se "sumerge", no se anula nunca: conserva siempre su conciencia. Su conciencia unida al objeto que ella percibe; objeto que no es Dios, pero tampoco la cosa a secas, sino hecha *dios,* vista en la unidad de un "mundo ideal". Es pues el suyo, a pesar de sus peculiaridades, de acuerdo con la clasificación de R. Otto, básicamente, un misticismo "del espíritu", misticismo "hacia afuera", de "visión unificante" [61].

LOS ULTIMOS POEMAS

Y ahora veamos lo que Juan Ramón escribió con posterioridad a *Animal de fondo,* para tratar de responder a la pregunta que el lector de esa obra tal vez se plantea: ¿Le duró mucho esa alegría alcanzada, esa comunicación con "dios", esa paz?

Escribió poco, después de 1948. Grandes temporadas las pasó enfermo, deprimido, hasta su muerte ocurrida en 1958.

[61] Véase RUDOLPH OTTO, *Mysticism East and West. A comparative analysis of the nature of mysticism,* Meridian Books Inc., New York, 1957. Las citas, traducidas por mí de esta edición americana, están tomadas del cap. IV, "The two ways: the mysticism of introspection and the mysticism of unifying vision", págs. 38-53; y del cap. VI, págs. 73-75.

Instalado de nuevo en Washington, después de su viaje a la Argentina, debió sentirse pronto solo y triste. El contacto con un país de habla española, donde era conocido y donde fue aclamado, le había impresionado muchísimo. Llegaron incluso a agradarle las multitudes, los gritos. Y a ese reencuentro con el mundo hispánico atribuyó él su experiencia mística, en el viaje de vuelta. En un texto no fechado, pero que quizás sea de 1949, titulado "Epílogo de 1948. El milagro español", publicado en 1959, escribió:

> El milagro de mi español lo obró la República Argentina... Cuando llegamos al puerto de Buenos Aires y oí gritar mi nombre, ¡Juan Ramón, Juan Ramón!, a un grupo de muchachas y muchachos, me sentí español, español renacido, revivido, salido de la tierra del desterrado, desenterrado... ¡El grito, la lengua española; el grito en lengua española, el grito!... Todo era por mi lengua, por la lengua en que había escrito lo que ellos habían leído. Nunca soñé cosa semejante... Aquella misma noche yo hablaba español por todo mi cuerpo con mi alma, el mismo español de mi madre... Y por esta lengua de mi madre, la sonrisa mutua, el abrazo, la efusión... No soy ahora un deslenguado ni un desterrado, sino un conterrado, y por ese volver a lenguarme he encontrado a Dios en la conciencia de lo bello, lo que hubiera sido imposible no oyendo hablar en mi español [62].

Se comprende por esto que se sintiera pronto deprimido, al hallarse de nuevo en los Estados Unidos, después de ese viaje; sobre todo si, como parece por lo que en seguida veremos, se le fue pronto borrando

---

[62] Apareció este escrito, sin que se indicara su procedencia, como "texto inédito", en la revista *Indice*, Madrid, núm. 128, sept. 1959.

ese "Dios" que había encontrado "en la conciencia de lo bello", o al menos se fue apagando el entusiasmo que ese encuentro con lo divino le había producido.

En qué fecha comenzó de nuevo a sentirse triste, no lo sé yo con seguridad. Mas al parecer se encontraba ya bien triste año y pico después de su regreso. La señora Palau de Nemes, que le veía con frecuencia en esa época, escribe en su biografía (*op. cit.*, páginas 331-333) estos pasajes muy interesantes, que incluyen frases de Juan Ramón, aunque no podemos asegurar hasta qué punto se reproduce con exactitud lo que él dijera:

Una tarde nublada de agosto de 1950 Juan Ramón andaba cabizbajo, ojeroso y agobiado. Aquella tarde él mismo se marchó al hospital; no se sentía bien. Hacía tiempo que Juan Ramón venía diciendo que estaba pasando una crisis verdadera y que no estaba contento: "El español verdadero de España no le envuelve a uno aquí en los Estados Unidos", decía... Hablaba de la Argentina, donde tan feliz había sido, y comentaba: "La carga que tiene uno encima, tanto libro, tanto papel; ¿adónde va uno?"... Juan Ramón necesitaba a España; estaba próximo a los setenta... en 1950 decía sentirse viejo, se quejaba de la soledad: "Si me hubieran conocido en España. Aquí en Wáshington la soledad es muy grande; esa cosa de la amistad íntima particular uno la necesita; una persona de vida interior no puede estar siempre sola... Ahora yo no puedo estar solo en el campo, pienso mucho... Lo primero que a mí me importa en el mundo es lo humano, a mí me gusta mucho la comunicación. Es una cosa triste, a Zenobia le gusta mucho la vida social, pero a mí, no"... Juan Ramón tuvo que guardar cama. Estaba enfermo "del corazón", explicaba. Hizo el recorrido de muchos hospitales... En el otoño, su esposa pensó que un viaje por mar volvería a darle nuevas perspectivas al espíritu triste del poeta y se trasladaron a Puerto Rico... Al cabo de dos meses regresaron a Maryland... En marzo de 1951 el poeta enfermo y su esposa regresaron a Puerto Rico. Allí tenía Juan Ramón "sus médicos", como él gustaba de llamarles... que le ayudarían a recobrar la salud. Y así fue. En diciembre de 1952 el poeta reanudó su vida intelectual, iniciándola con una conferencia pública en el Teatro de la Universidad de Puerto Rico.

Se encontraba ya restablecido desde meses antes. En agosto de 1952 esperaba en el muelle a Ricardo Gullón, que venía de España. Por las *Conversaciones con Juan Ramón* podemos ver que desde esa fecha hasta marzo de 1954 se encontraba bien, sereno, lúcido y trabajando. En esa época preparó la *Tercera Antolojía* y escribió prosas y algunos poemas.

A partir de 1954, hasta su muerte, estuvo la mayor parte del tiempo enfermo y muy deprimido. En junio de 1954, al despedirse de él Gullón, "tras estos meses de silencio", lo encontró muy "cansado y triste". Se siente mal y "cree que puede morir en cualquier momento" (*op. cit.*, pág. 165). Al volver Gullón de nuevo a Puerto Rico, en agosto del mismo año de 1954, el poeta "parece restablecido", aunque aún débil. En septiembre vuelve a enfermar y el 20 de diciembre "está hospitalizado" (pág. 168). En la primavera de 1955 Juan Ramón había mejorado y ayudaba a su mujer a ordenar los libros en la Sala que, con el nombre de ambos, guarda sus libros y papeles en la Universidad de Puerto Rico. Pero al despedirse de él Gullón por última vez, a principios de junio de 1955, el poeta estaba de nuevo triste, y decía: "No, Gullón, no: moriré aquí, y pronto, muy pronto...". Y el autor de las *Conversaciones* termina así: "Le abracé de nuevo y salí, dejándole en la salita de estar. Desde la acera le vi todavía, a través de la persiana, sentarse en su butaca y quedar allí quieto, silencioso, ensimismado" (pág. 171).

Tal vez mejorase de salud y se animase algo en los meses siguientes. Pero en la primavera de 1956, Zenobia, que había sido operada de cáncer en el invierno de 1951, recayó en su enfermedad, se fue agravando y murió el 28 de octubre de 1956, justamente cuando el poeta acababa de recibir el premio Nóbel. "La muerte es la única verdad", dijo él entonces, al parecer. Profundamente desolado, Juan Ramón se encerró en su casa: no quería ver a nadie. Al cabo de algún tiempo hubo que forzarle a que ingresara en un hospital, donde se restableció algo, primero, y donde luego murió, el 29 de mayo de 1958 [63].

La mayor parte de lo que escribió después de *Animal de fondo*, debió escribirlo, por tanto, en 1949 o en 1952 y 1953, es decir, en los períodos en que su salud y ánimo se lo permitieron. Casi todos los poemas que escribió después de 1948, los que se conocen, se encuentran reunidos en la *Tercera Antolojía*. Estos son los siguientes:

---

[63] Algunos detalles más sobre la vida de Juan Ramón en sus últimos años se encuentran en la biografía de G. Palau de Nemes y en las *Conversaciones...* de R. Gullón. En las últimas páginas de la obra de F. GARFIAS, *Juan Ramón Jiménez*, se dan algunos datos sobre la vida retirada del poeta después de la muerte de su esposa, citando el testimonio de personas que entonces le visitaron.

Los siete poemas, de 1949, que en la *Tercera Antolojía* siguen a los de *Animal de fondo* y que con éstos forman el libro que él tituló *Dios deseado y deseante*. (De los que escribiera en 1952, cuando, según dijo a Gullón estaba "terminando" esa obra, nada sabemos. Sólo uno, no incluido en la antología, conozco yo, publicado en *Poesía española*) [64].

Siete u ocho —no sabemos exactamente cuántos ni cuáles— de los 19 de *Una colina meridiana* (que él fecha "1942-1950"). Decimos que unos siete u ocho de éstos, los últimos, son posteriores a *Animal de fondo* porque en ellos hay al parecer alusiones, aunque vagas, a su experiencia mística pasada. Debió de escribir estos poemas, todos incluidos en la *Tercera Antolojía*, en 1949 y principios de 1950. El número 9 de *Una colina meridiana*, "Por fuego", del que ya hablamos, tal vez sea anterior a *Animal de fondo*, pero bien

---

[64] "Estoy... terminando *Dios deseado y deseante*, que, completo, tendrá ochenta poemas en lugar de los treinta publicados en *Animal de fondo*. Ahora este libro contiene un ciclo completo de mi pensamiento", le decía a Gullón el 17 de diciembre de 1952 (*Conversaciones...*, pág. 119). Gullón menciona, en las mismas *Conversaciones*, dos de éstos, que él escuchó, y que no aparecen luego entre los siete agregados a *Animal de fondo*. El 24 de nov. de 1952 escribía: "Me lee uno de los poemas, 'Un dios en blanco', último de *Dios deseado y deseante*. Escucho impresionado... estos versos que aluden a un dios en el origen, a un dios en el que nada han puesto todavía los hombres, y por eso *en blanco*" (pág. 98). Este poema, si se publicó, yo no lo he encontrado. Pero el 17 de dic., el mismo día en que le habló de estar terminando su obra, le leyó otro: "Empieza a leer. Es el último poema de *Dios deseado y deseante*: una invocación al Dios 'que no ofendo' " (pág. 120). Este, como veremos, es el publicado poco después en *Poesía española*. Pero si la obra tenía "ochenta poemas", o cerca de ochenta, deberían existir unos cuarenta más inéditos, que Gullón al parecer no ha encontrado entre sus papeles.

pudiera ser posterior, de fines de 1948, continuación en realidad, más que preludio de ese libro místico.

Los nueve poemas de *Ríos que se van,* que él fecha "1951-1953" y que se incluyen en la *Tercera Antolojía,* al final. Y un poema más, de este mismo libro, publicado en *Poesía española,* en enero de 1954, que no se incluye en la antología, y del que también hablaremos.

La mayor parte de los poemas sueltos publicados en revistas en los diez últimos años de su vida, se incluyen luego, como hemos dicho, en la *Tercera Antolojía,* pero conozco alguno que no está incluido, aparte los ya mencionados, y quizás existan varios más.

Por último, debe también incluirse, entre los poemas de este período, el "Fragmento tercero" de *Espacio,* que aparece en la *Tercera Antolojía,* y que fue publicado por vez primera, que yo sepa, en 1954. El da al final del poema completo, en la antología, como ya dijimos, las fechas "1941-1942-1954". El mismo año de 1954, poco antes de enviarlo completo, prosificado, a la revista *Poesía española,* estaba trabajando en su "revisión" (según dijo a R. Gullón en las *Conversaciones*). Sin embargo, como ya indicamos al tratar de los dos fragmentos primeros, éstos aparecieron en 1954 casi idénticos a como habían aparecido en 1943 y 1944. La "revisión" debe referirse, por tanto, exclusivamente al fragmento tercero, que por algo al aparecer en *Poesía española* llevaba al final, entre paréntesis, la fecha de 1954 [65].

---

[65] En 1948, en *Los Anales de Buenos Aires* (Año III, núm. 23, pág. 5), se publicó un poema "Espacio" —según se lee en las bibliografías— que yo no he visto. Si se publicó en una sola página no podría ser, si acaso, sino un fragmento del fragmento tercero. En el

Empecemos por los siete poemas de *Dios deseado y deseante*. En ellos se refiere varias veces a su experiencia mística como a algo pasado.

El primero (o sea, tras los 29 de *Animal de fondo*, el número 30), titulado "La menuda floración" (páginas 1020-1021), es un recuerdo del "niñodios que yo fui un día", en Moguer. Aquel dios entonces presentido, dice, "al fin lo tuve". Y él ahora es aún aquel niño, pues ha vuelto a la inocencia:

> Que no bastaba el puro pensamiento
> para pensar al niño; necesario era
> crearlo en un florecimiento
> de primavera...

Es decir no bastaba (fijémonos que dice "bastaba", en pretérito, y no "basta") *pensar* en aquel niño que él fue, sino que era necesario "crearlo" de nuevo, volver a ser niño, a sentir como el niño sintió. Pero todo esto es ahora consideración, recuerdo de lo ocurrido en el barco, repetición. Y así no es extraño que caiga pronto en lo que a mí me parece ser, más que otra cosa, malabarismo intelectual, juego de palabras:

---

número de *Sur* de junio-julio 1948, se publicó otro poema titulado "Espacio. La central ciega", breve, que *no es,* ese fragmento tercero ni parte de él. Y no aparece en la *Tercera Antolojía*. Quizás, sin embargo, ambos poemas sean hojas desprendidas del grueso manojo de cuartillas que en 1943 decía ya tener escritas sobre "Espacio".

Lo que sí debe de tener que ver bastante con lo esencial de ese "Fragmento tercero", si es que no es parte del mismo, es lo publicado en *La Nación* el 11 de enero de 1953 con el título de "Leyenda de un héroe hueco", pues ya veremos que la parte final de ese fragmento último se refiere a un tal "héroe hueco".

Tú, mi dios deseado, me guiaste
porque tú lo soñaste también; tú, niñodios,
eterno niñodios;
soñaste que por ti yo fuera dios del niño
y niño me dejaste
para que siempre el niño fuera mío.

El 31, "Y en oro siempre la cabeza alerta" (páginas 1022-1023), que fue ya publicado en la revista *Asomante* en sept. de 1949, empieza:

Cada mañana veo la ciudad
donde te hallé del todo, dios, esencia,
conciencia, tú, hermosura llena.
La veo abrirse con la estela verdespuma,

Otra vez dice (de ese dios que es "hermosura llena", que es "esencia" y a la vez "conciencia"), como refiriéndose a algo ocurrido en el pasado, "te hallé". Y no dice aquí si se repite o no el encuentro. Por otra parte, no es claro qué "ciudad" es ésa, vista a lo lejos, si es que se trata de una ciudad en efecto. Pero probablemente se refiere tan sólo al mar. Los versos que siguen no aclaran del todo esta duda:

...En el sinfín abierto, allí, sí, allí,
en un rompiente májico de luces,
está tu despertar, ciudad cruzada
de cruces, largas cruces de ambulancia

¿Se trata de bandas de luz en el agua quieta, vista desde lejos? Lo único obvio es que él ve, cada mañana, esa "ciudad", o mar, en donde al fin halló "del todo" ese dios salvador que siempre había buscado.

El 32, "Los pasos de la entraña que encontré" (pág. 1024), en prosa, es más oscuro aún que el anterior, del cual parece ser continuación. La primera estrofa dice:

> En esta abierta estela vuelan hacia mi fijo estar y me distienden el corazón tan lleno de verdades, los pasos de la entraña que encontré con mi conciencia deseante del dios bello.

Se trata aquí otra vez, probablemente, de la estela en el mar, cuya visión le trae el recuerdo ("vuelan hacia mí... los pasos...") del encuentro con el "dios", o sea, de la "entraña que encontré". Sin embargo no es nada claro qué sean los "pasos", y menos aún "los pasos de la entraña".

En la segunda estrofa, rozando de nuevo el tema que llamábamos de la justificación de su vida pasada, habla de "la luz" que "el conseguido dios le prende al que más lo desea". Y en cuanto a la tercera estrofa, rarísima, no voy a intentar siquiera dar una explicación, que sería demasiado retorcida, y quizás falsa.

Este poema 32, así como los dos que siguen, se publicaron en la revista *Correo Literario,* de Barcelona, en julio de 1954, con el título: "Tres poemas inéditos de *Dios deseado y deseante*", antes de aparecer en la *Tercera Antolojía.*

El 33, "Choque de pecho con espalda" (pág. 1025) se refiere al éxtasis, a la unión del dentro con el fuera, del dios deseado con el deseante:

> Eres lo limitado de mi órbita y eres lo ilimitado, el dentro de mi órbita y el fuera, y lo hondo y lo estenso; todo lo que yo pude dominar...

Lo que yo "pude" y no lo que yo puedo. Ahora ya no domina, aunque lo intenta, y por eso sin duda agre-

ga, a continuación: "todo también lo que yo voy pu-
diendo".

Y se hace claro en la segunda estrofa, a pesar de su
rareza, que habla ahora, como lo hacía antes de su
experiencia en el mar, de un estado de alma que *espera*
conseguir, que aún no lo tiene; o, más bien, de una
gracia que ha perdido y que espera recobrar:

> Y yo sé, y yo sé que un día alijeraré mi eterno discu-
> rrir; y que seré el andarín sin campanilla, dominador
> de todo, a gusto, y, a gusto, dominando, hasta encon-
> trarme yo conmigo mismo; choque de pecho con es-
> palda, choque también de cuerpo y alma, de realidad
> e imajen.

El 34, "El corazón de todo el cuerpo" (pág. 1026),
es, claramente, un recuerdo del encuentro con "dios"
en el mar. Empieza: "Yo fui y vine contigo, dios,
entre aquella pleamar unánime de manos...". Y acaba repitiendo: "...yo fui y vine contigo, dios, contigo".

El 35, "Respiración total de nuestra entera gloria"
(págs. 1027-1028), no trata del recuerdo de una pasada experiencia, como los otros, sino más bien de una
renovada experiencia, de un sentirse él en dios. Aunque quizás sea éste, de todos modos, un poema más
pensado que sentido. Empieza:

> Cuando sales en sol, dios conseguido,
> no estás en el nacerte sólo;
> estás en el ponerte,
> en mi norte, en mi sur;

Está también dios en la "cara grana" (es decir, en
la cara iluminada por el sol naciente), cara que "mira
para dentro". Y agrega:

Y yo estoy dentro de ella,
dentro de tu conciencia jeneral estoy
y soy tu secreto, tu diamante,
tu tesoro mayor, tu ente entrañable.
Y soy tus entrañas
y en ellas me remuevo
como un aire, y nunca soy tu ahogado;

El se siente dentro de ese dios, en sus "entrañas",
pero no "ahogado"; es decir, nunca dejando de ser
él, de tener conciencia. Y así sigue:

nunca me ahogaré en tu nido
como no se ahoga un niño en la matriz
de su madre, su dulce nebulosa;
porque tú eres la sangre mía
....
respiración total de nuestra entera gloria.

Este poema en otro lugar —entre los de *Animal
de fondo*— resultaría más convincente, más verdade-
ramente místico. Aquí, al lado de otros que son sobre
todo *recuerdo* de lo místico, parece más bien un ejercicio intelectual. Pero no podemos negar rotundamente,
claro es, que pudiera él sentir a veces, renovada, la
emoción, la experiencia aquella de unión con lo divino
que tuvo en el mar.

Y por último el 36, "Estás cayendo siempre hasta
mi imán" (págs. 1029-1030), es de nuevo un canto a
ese dios que siempre está *ahí*, siempre llegando: "pasando, estás viniendo, estás presente siempre". Empieza:

En mar pasas, en mar acumulado con todas las belle-
zas, tú, conseguido dios de la mar, de mi mar.

209

Tú eres el sucesivo, lo sucesivo eres; lo que siempre vendrá, el que siempre vendrá; que eres el ansia abstracta, la que nunca se fina, porque el recuerdo tuyo es vida tanto como tú.

Se refiere a un dios "conseguido", y, sin embargo, habla de "ansia". Hay aquí un heroico esfuerzo, muy revelador, por mantener en alto la bandera, el entusiasmo, al afirmar que "el recuerdo tuyo es vida tanto como tú".

De su experiencia mística en el mar, Juan Ramón guardaba pues, en 1949, al parecer, un apasionado recuerdo, pero sólo un recuerdo. La sensación aquélla que sintiera en el mar, de plenitud, de paz, debió de evaporarse pronto. Esta hipótesis la confirman, creo yo, no sólo los poemas que hemos hasta ahora visto, del *Dios deseado y deseante,* sino también esos otros de *Una colina meridiana,* los últimos, que debió de escribir por la misma época, o muy poco después.

Son ya probablemente posteriores a *Animal de fondo* los tres poemillas que con el título "Del bajo Takoma. Coplas de los tres perdedores" (págs. 946-949), forman el poema número 13 de *Una colina meridiana.* Aparecieron en una revista literaria en octubre de 1949. Dicen las coplas primeras:

> Alcotán solo que llevas
> la pareja de tu sombra
> despegada;
> tu grito fijo te nombra.
>
> ....
> Porque yo quise volar,
> volar, tu sombra es mi sombra.
> Despegada.
> Tu grito agudo me nombra.

Lo de haber también él querido "volar", y el eco ese del grito del alcotán en él, hacen pensar en su caída, en la depresión que por entonces —verano de 1949— debía de estar empezando a invadirle.

Las segundas coplas empiezan:

> La soledad amarilla
> un color solo me ofrece.
> Solo. Un color.
>
> O la muerte.

En los tres raros poemas que siguen, 14, 15 y 16, "Con ella y el burlón", "Con ella y el zurito", "Con ella y el cardenal" (págs. 950-955), habla de paseos campestres con Zenobia y de pájaros en el cielo; y también del recuerdo, en la belleza presente, de otros momentos pasados de belleza e ilusión. En el 14 recuerda "los dioses radiantes de anteayer". En el 15, el vuelo de un pájaro le hace recordar "aquel temblor" que él "sentía". Dice:

> Este es aquel temblor que yo sentía
> en tu ilusión más grande:
> el de un barco que, anclado, está en el todo,
> como el zurito está
> volando por el todo con el vuelo
> de sus alas cerradas...

Pero no es claro para mí lo de "en tu ilusión más grande". ¿Ilusión de quién? ¿De él? ¿De ella, a quien se dirige en el poema?

Del 16 hablaremos en otra parte. El 17, "Toda la luz nunca vista" (págs. 956-957), habla del "olmo, con el sol alto" y de la "tierra", que son "guía" para ver aquello que "nos ilumina", es decir:

211

> el dios de nuestra vivida
> de cuya hermosura mana
> toda la luz nunca vista.

La referencia al "dios" hace suponer que este poema es también posterior a *Animal de fondo*.

El más bello, creo yo, es el penúltimo, el 18, "En los espacios del tiempo" (págs. 958-959), un romance que publicó también por vez primera, en una revista, en 1949. Lleva como lema: "Pero la belleza vuelve..." La belleza surge de pronto, en el crepúsculo, y parece buscarle a él, como él la buscó siempre a ella:

> Aquí está otra vez, exacta
> realidad de cuerpo y sueño,
> buscando por los alcores,
> con sus cabellos ardiendo,
> por los alcores dorados,
> mis ojos que se perdieron.
> (Que se perdieron buscando
> los suyos por tierra y cielo;

Podría decirse que esto pudiera haberlo escrito Juan Ramón antes de *Animal de fondo*. Y es bien posible. Mas parece haber luego una especie de confianza, más allá de la inquietud, que antes no había. Confianza no de llegar a percibir lo bello como algo efímero, pues eso ya lo tiene, sino de llegar a una íntima unión con esa belleza, a un *intercambio* entre su alma, el dentro, y esa belleza de fuera. Hay, en suma, en los versos que siguen, la *confianza,* y no sólo la esperanza, de que llegará un éxtasis que ya antes ha experimentado:

> Ella sabe bien que soy
> quien la busco y no la encuentro,
> y que ando confiado
> ....
> Sabemos por siempre y más
> que siempre nos cambiaremos
> su infinito por el mío
> y por el suyo mi eterno.
> ¡Y qué solo es este hallarnos
> seguros sin más remedio!

En el 19 y último, "Alerta" (pág. 960), muy breve, se pregunta si su cabeza "iluminada" (su visión esa
de dios, supongo) será semilla de "otro y más bello
mundo".

Los nueve poemas de *Ríos que se van* incluidos en
la *Tercera Antolojía,* nada tienen ya que ver con el
dios deseante o deseado, presente o evocado. Los siete
primeros, fechados "1951-1952", se publicaron en el
núm. 85 de *Insula,* el 15 de enero de 1953. Son casi
todos ellos un emocionado homenaje, lleno de amor,
de ternura y agradecimiento, a Zenobia, que debía
entonces estar reponiéndose de la operación que había
sufrido. Habla de su "esbeltez de peso exacto, tendida
aquí, mi mundo, y como para siempre ya", y de "sus
manos menudas que tanto trajinaron" (pág. 1034). En
"Concierto" (pág. 1037), empieza: "Echada en otro
hombro una cabeza...", y habla de "la paz de dos en
uno" y de la "carcoma" que está destruyéndola. Ambos, enfermos, son "ríos que se van". El 6, en prosa,
se titula "Mirándole las manos". Del 7, distinto, nos
ocuparemos en la segunda parte, así como del 9 y último, el poema con el cual acaba la *Tercera Antolojía,*
"El color de tu alma".

213

Pero hay, aparte de éstos, un poema publicado en *Poesía española* en enero de 1954, que lleva la indicación: "De *Ríos que se van*". Y también: "Inédito, 1953". Es un romance titulado "Los dos en realidad". Lo interesante de este poema, para nosotros, es que, además de hablar, al final, de Zenobia y de él, juntos en la muerte próxima, comienza refiriéndose claramente al entusiasmo perdido, a aquel "infinito" que él era y ya no es, a "aquel sí" que ahora es "no". Empieza:

> Yo vine del allí libre
> y estoy preso en este aquí;
> antes yo era lo infinito
> que hoy no sé ya concebir;
> soy sólo el que considera,
> sin comprenderlo, aquel sí
> que fue y que ahora es el no
> ...Y lo que iba a decir:
> morirme es volver a ser
> lo infinito que ya fui,
> ser lo que ya no comprendo.

Ahora recuerda, pero no comprende ya, su estado de exaltación, años pasados, en que se sentía "infinito". Y hay una última esperanza, o quizás más bien una última ironía, al decir que al morirse volverá a ser "lo infinito que ya fui".

El "Fragmento tercero" de *Espacio* es, como el primero, una larga serie de alusiones, de recuerdos o fragmentos de recuerdos. Aquí nos interesa sólo el último y más prolongado de estos recuerdos: las tres páginas finales (págs. 877-880).

Después de evocar imágenes tan varias como la inyección que un médico le puso en Coral Gables o el anarquista que quiso juzgarle en Madrid, y también el gong que le llamaba a comer en el viaje por mar que hizo en 1916, lo que recuerda, con todo detalle, es lo que le pasó a un cangrejo, al que llama a veces "cáncer". El cangrejo se había quedado solo en la playa "al sol de la radiante soledad de un dios ausente". El le incitó a luchar con su lápiz (el lápiz de la poesía y de la crítica, según precisa), y al fin lo aplastó con el pie:

> ¿Fui malo? Lo aplasté con el injusto pie calzado, sólo por ver qué era. Era cáscara vana, un nombre nada más, cangrejo; y ni un adarme, ni un adarme de entraña; un hueco igual que cualquier hueco... Un hueco era el héroe sobre el suelo y bajo el cielo; un hueco, un hueco aplastado por mí...

Y luego él se siente como el cangrejo, hueco también:

> Y un silencio mayor que aquel silencio llenó el mundo de pronto de veneno, un veneno de hueco... ¡Qué inmensamente hueco me sentía... en aquel solear empederniente del mediodía de las playas desertadas!

Se siente separado de dios ("en el espacio de aquel hueco inmenso y mudo, dios y yo éramos dos"). Y separado también de su "conciencia", a quien se dirige con melancolía, como despidiéndose de ella: "Difícilmente un cuerpo habría amado así a su alma, como mi cuerpo a ti, conciencia de mi alma... ¿No te apena dejarme? ¿Y por que te has de ir de mí, conciencia? ¿No te gustó mi vida?".

El había soñado una unión de la conciencia suya con dios, sin dejar de ser él, con su cuerpo también:

eterno, siendo todo, en el presente único. Mas este sueño ahora se desvanece. Renuncia con amargura, con forzado estoicismo. El alma, su conciencia, quizás va a Dios. Pero, ¿qué significa eso sin él, sin su cuerpo? Y así acaba, dirigiéndose aún a su propia conciencia:

Yo te busqué tu esencia. ¿Qué sustancia le pueden dar los dioses a tu esencia, que no pudiera darte yo? Ya te lo dije al comenzar: "Los dioses no tuvieron más sustancia que la que tengo yo". ¿Y te has de ir de mí tú, tú a integrarte en un dios, en otro dios que este que somos mientras estás en mí, como de dios?

No sé de cuánto será el primer borrador de este fragmento último. A veces, por lo que dice, parece estar escribiendo en Florida, y otras sólo recordando Florida. Probablemente el fragmento tercero fue empezado en Florida y corregido y terminado más tarde, en Puerto Rico. No sabemos tampoco cuándo ocurriría lo del cangrejo, que él ahí recuerda, lo de sentirse hueco. Pero lo que me parece muy probable, no sólo por el sentido de lo que dice, sino por las palabras usadas ("dios", "conciencia", etc.), es que éstas tres páginas finales al menos, si es que las escribió cuando los otros "fragmentos", debieron ser muy corregidas y revividas posteriormente, entre 1952 y 1954.

Del arrebato aquel, de la fe aquella en el mar durante el viaje de regreso de la Argentina, en 1948, ¿qué le queda en 1954? No mucho, por lo que hemos visto. Sólo el recuerdo. Y aun éste bastante vago, al parecer, o como algo muy escondido en sí. En las *Conversaciones* con Gullón (conversaciones literarias, cierto es, más que íntimas) no alude nunca a esa fe que había alcanzado en 1948, y tampoco dice haberla perdido. Ni se muestra, salvo al caer enfermo, desesperado: simplemente no habla de ello. Sólo de pasada dice estar "terminando" *Dios deseado y deseante*. Y agrega: "Ahora este libro contiene un ciclo completo de mi pensamiento" (pág. 119). Esto parece indicar, hubiera escrito o no esos muchos poemas que dice, que no conocemos, que su pensamiento había de algún modo evolucionado. El sentido de esa evolución puede precisarse con bastante exactitud, con lo que ya hemos visto. Al arrebato de 1948 sustituyó en 1949 —como indican los poemas agregados a *Animal de fondo*— un sentimiento de nostalgia, de confianza, de espera de que la gracia vuelva. Luego vino el alejamiento, la amargura, el no comprender ya aquello, el sentirse hueco. Sin embargo la actitud dominante en él cuando la enfermedad no le vencía, al escribir, en esa época en que dice estar terminando *Dios deseado y deseante*, no era la de desesperación. Más bien la de una trágica esperanza, la de una fe que lucha por sostenerse en vilo. Algo de esto vimos ya en el poema de *Ríos que se van*, de 1953, publicado en *Poesía española*. Pero hay además otro poema, publicado en la misma revista en abril de 1953: el titulado "Si la belleza me responde o no". Este es sin duda el mismo, sobre el Dios "que no ofendo", que Gullón escuchó, el 17 de dic. de 1952, de labios de Juan Ramón, como el último escrito —y el único que conocemos de esta época— de *Dios deseado y deseante*. Como los santos místicos, en los momentos de sequedad, esperaban con humildad la vuelta de la gracia, así Juan Ramón, sin dios, esperando, da gracias, humilde, "a la belleza inmensa"; y se tranquiliza pensando que no ofende a dios por esperar, buscando, aunque dios no escuche:

217

Buscándote como te estoy buscando,
yo no puedo ofenderte, dios, el que tú seas;
ni tú podrías ser ente de ofensa.

Si yo te puedo, y yo sé que te puedo, oir
todo el misterio que tú eres,
y tú no me lo dices como te lo pregunto,
yo no estoy ofendiéndote.

. . . .

Gracias, yo te las doy siempre. ¿A quién las doy?
A la belleza inmensa, se las doy

. . . .

Si la belleza inmensa me responde o no,
yo sé que no te ofendo ni la ofendo.

Entre el entusiasmo, tan vivamente sentido en
1948, y la nada, de nuevo amenazante, la desesperación cercana, buscaba él un camino intermedio, una
razón para vivir, una justificación para su pasado esfuerzo. Es interesante citar a este respecto un texto en
prosa muy significativo, uno de los últimos suyos, si no
el último: "Quemarnos del todo". Fue publicado en la
revista *Centro*, de Buenos Aires, en julio de 1956. Debió de ser escrito a principios de 1956, lo más tarde,
antes de la enfermedad de Zenobia; pero quizás sea
anterior, del período 1952-1954.

Es como un consejo final, un programa que resume
muy bien en el título. Lo que para él había sido experiencia mística personal, y sobre todo el apasionado buscar que a ella le condujo, se convierte ahora en camino,
en "religión" posible para otros. Juan Ramón no piensa aquí sólo en sí, sino más bien en un camino de
salvación —relativa— que pudiera abrirse para todos;
en un modo de vivir que pudiera dar algún sentido

a la vida. Lo que aconseja es esfuerzo, dedicación a un "ideal"; hacer de la vida, idealizándola, un fin en sí misma.

No dispongo sino de la traducción al inglés de este ensayo. Retraduzco, pues, al español algunas de las líneas más significativas, aunque sin intentar en modo alguno imitar su personalísimo estilo. Pero aunque no sean éstas exactamente las palabras que Juan Ramón escribió, creo que el sentido general de su pensamiento —bastante confuso a veces en éste como en otros ensayos en prosa— no queda por ello alterado:

> En este mundo debemos quemarnos del todo... Cuando todos lleguemos a considerar nuestra existencia como un fin, encontraremos en ella un satisfactorio paraíso...
>
> Casi todas las transitorias religiones se han inventado en este mundo como un remoto consuelo para el pobre, el enfermo o el desheredado moral o físicamente... Aceptar la religión como un ideal colectivo, cuando uno no ha determinado todavía cuáles son sus ideales, es bueno, nadie lo duda, sobre todo en la primera juventud, y aun mejor en la adolescencia; pero llegados a la madurez, podemos aspirar, o aspirar además, a un ideal personal, a una religión personal —ciencia, poesía, arte— que no han de ser necesariamente un consuelo para nuestras deficiencias o un deseo de algo particular, sino las raíces de nuestras alas, la paz y el gozo: vocaciones fundadas en el más inmediato concepto de la belleza y de la verdad, íntimas vocaciones genuinamente idealistas; es decir, un concepto más humano y también más divino, ya que cumpliendo nuestra vocación adquirimos conciencia de Dios en la verdad y en la belleza.

Y nunca hemos de considerar el ideal como algo distante o no existente, ya que el ideal se encuentra en nosotros mismos... la poesía consiste en hacer divino lo que tenemos a mano... Yo creo que el ideal podría consistir en hacer la vida ideal... Crear un ideal no supone dejar de tomar parte en la vida diaria, comunal... Insisto en que debemos hallar el ideal, hallar el centro de nuestras vidas... recrearlo cada día... consumirlo, que es el único medio de realizarlo progresiva y totalmente, el único medio de continuar siendo dignos de nuestra conciencia, de nuestro deseado y deseante dios.

Cuando contemplamos cosas y seres, cuando amamos y gozamos, ganamos su confianza, habiendo entregado la nuestra... cosas y seres nos manifestarán entonces su contento, poseeremos sus más profundos secretos, y así podrán aparecer ante nosotros como ideales, ya que quizás el ideal sea un secreto del cual sólo los más amantes sean dignos... Una fantasía puede ser equivalente a un paraíso, y si la fantasía pasa, mejor, porque el paraíso eterno sería muy aburrido... [66].

Mucho podría discutirse, claro es, sobre el valor de esa religión, cuyo "ideal", declaradamente, empieza y acaba en nosotros mismos, y se consume con nuestras vidas, al quemarnos del todo, sin dejar rastro. Pero este riguroso inmanentismo no es cosa nueva en él. En un artículo publicado en *La Nación* el 30 de octubre de 1949, "Viviendo y moriendo. Las dos eternidades de cada hombre" escribía: "Si el fin del hombre no es crear una conciencia única superior, el Dios de cada

---

[66] Se encuentra incluido en *The selected writings of Juan Ramón Jiménez*. Translated by H. R. Hays. Edited and with a Preface by Eugenio Florit, New York, 1957. El ensayo, "To burn completely", en págs. 249-254.

hombre... yo no sé lo que es. Pero sí, yo sé lo que es. Que nuestro Dios no es sino nuestra conciencia... Y esta conciencia nuestra puede darnos la eternidad figurada primero, luego la real..." (citado por PALAU DE NEMES, *op. cit.*, págs. 357-358). Aquí, al año de su experiencia mística, ya no habla de un dios que esté fuera, siquiera sea sólo en la naturaleza, fundido a ella: ahora todo es dentro, sólo dentro; sólo hay Dios en la conciencia. Y aunque alude luego a una eternidad "real", ésta resulta muy vaga y dudosa ("permanecer... en nuestra acción y nuestra obra a través de lo posible venidero").

Pero en "Quemarnos del todo", seguramente posterior (y en todo caso posterior a su experiencia mística, ya que como hemos visto se refiere al "deseado y deseante dios"), claramente se despide para siempre de un paraíso eterno: ya no hay esperanza de eternidad alguna. Se trata sólo de buscar un "ideal" que está escondido en nosotros; de "idealizar" el mundo, y nuestra propia vida, siguiendo cada uno su propia vocación. De esto de la vocación ya hablaba en las *Notas* que siguen a *Animal de fondo*, que debió redactar a principios de 1949, al enviar a la imprenta el manuscrito del libro: "Y pensé entonces que el camino hacia un dios era el mismo que cualquier camino vocativo, el mío de escritor poético, en este caso".

Hay en él un deseo muy loable de escapar del dolor, de acabar con una nota afirmativa, de esperanza para todos, aun cuando Dios para él se hubiera ya eclipsado, y aun se hubiera borrado aquel dios del mar, en las cosas, que antes veía. Pero el hecho es que esta religión que predica después de 1948, es en el fondo tan poco consoladora como esa otra de la que —también con aparente optimismo— hablaba en "La Razón heroica", el mismo año de 1948, antes de su experiencia mística [67].

Ya entonces decía que "el gran secreto del hombre" es que "podemos vivir cuando estamos en plenitud de pensamiento y sentimiento, iluminados por nosotros mismos". Un "cielo definitivo" le parecía lo mismo que "un mar de oleaje detenido". El cree, dice entonces, en un "dios sucesivo", en un "venir a ser yo cada día en nueva visión y nueva espresión de mí mismo y del mundo que yo veo". Cuando los huesos "caen" lo que queda es abono, ejemplo, para otros. Y agrega: "Esta cesión de la antorcha de uno en otro yo, y de mí en el que me sigue... son mi concepción constante de la vida" (*Páj. Escoj.*, págs. 163-164). Y ésta seguiría siendo, realmente, su concepción de la vida, y de la muerte, pasado ya aquel encuentro con dios. Una concepción poco consoladora; salvo en los momentos de arrebato, de plenitud, de iluminada visión en que el hombre puede sentirse, como él se sintió, unido con el todo.

Seguramente a Juan Ramón mismo no le consolaba mucho, durante mucho tiempo, *pensar,* como solución, en el camino que él propone en "Quemarnos del todo". Porque ésa es una "religión" que sólo puede servir de consuelo, si acaso, *vivida,* no pensada. Y a él le quedaba ya poca vida, y lo sabía. Se sentía vencido, cerca de la muerte; pero quería ser aún fiel a sí mismo, a su

_____

[67] El ensayo "La razón heroica" apareció en el núm. 11 de *Realidad,* Buenos Aires, sept.-oct. 1948. Se reproduce en *Pájinas escojidas. Prosa (Op. cit.,* págs. 155-178).

esfuerzo, a esa continuada búsqueda que había sido su vida. Había sido el suyo un modo de vivir mejor que otros, pensaba él, y lo ofrecía ahora como ejemplo, como posible camino. Camino, ¿hacia dónde? Hacia la nada. Eso lo sabía él muy bien. Pero camino que podía ser, sin embargo, relativamente gozoso y digno, mientras dure.

Al *más allá*, a una verdadera trascendencia, había él renunciado ya hacía mucho, a su pesar, y para siempre. Pero no podía renunciar a mirar, a mirarse y a esperar. La conciencia de lo bello, la conciencia de sí y la muerte —y el ansia de escapar de ella—, se juntaban para Juan Ramón siempre en una misma mirada, que él quiso eternizar en su poesía.

Hay quien ve lo bello, y siente la conciencia propia, como un reflejo de Dios; es decir, hay quien confía en Dios. Hay quien no tiene esa fe, pero al mismo tiempo es incapaz de mirar, de mirarse, de ver; o renuncia a hacerlo, a preguntarse. Pero Juan Ramón, sin fe, no renuncia a mirar, a preguntar, a buscar, a salvarse. Y así llega a deificar lo bello, como poeta que es, y su conciencia: a deificarse él en lo bello. Pero no olvida nunca que todo ocurre dentro de él, fantaseando. Todo es una exaltación interna al contemplar el mundo, un mundo en sí carente de sentido. Todo es un ansia de plenitud, de escape, al contemplarse a sí mismo perdido en ese mundo.

En algún momento se creyó salvado en ese "éstasis" en que sentía su alma unida con lo bello, con el mundo, lo de fuera; y lo de fuera, la belleza, dentro de él. Ello le ocurrió, sobre todo, al finalizar el verano de 1948. Pero mucho de su obra anterior fue sólo un ir registrando los pasos ascendentes hacia esa unión milagrosa, hacia ese momento único y salvador. Su obra es el fruto de una lúcida conciencia —conciencia de sí y de lo bello— y de una conmovedora aspiración a eternidad.

INDICE GENERAL

EL TEMA CENTRAL

Págs.

Introducción   11

El tema central   15

Esbozos del *tema* con anterioridad al *Diario*   18

La segunda época   49

El nuevo estilo y su relación con el *tema*   50

El *tema* en el *Diario* y en *Piedra y cielo*   61

El *tema* en *Poesía* y en *Belleza*   77

Paréntesis sobre la soledad, narcisismo y agresividad de Juan
  Ramón   99

El *tema* en *La estación total* y en otras obras anteriores a
  1948   118

Culminación del *tema* en *Animal de fondo*   148

Los últimos poemas   193

227